Les *C*ontemporains,
CLASSIQUES DE DEMAIN

LAROU

Un cou
de tonnerre
et autres nouvelles

Ray
Bradbury

Édition présentée,
annotée et commentée
par Alexis LIGUAIRE,
docteur ès lettres

Direction de la publication : Carine GIRAC-MARINIER

Direction de la collection : Nicolas CASTELNAU-BAY

Direction éditoriale : Jacques FLORENT

Édition : Marie-Hélène CHRISTENSEN

Lecture-correction : service lecture-correction LAROUSSE

Direction artistique : Uli MEINDL

Dessin de couverture : Alain BOYER

Mise en page et informatique éditoriale : Marie-Noëlle TILLIETTE, Marion PÉPIN

Responsable de fabrication : Marlène DELBEKEN

Sommaire

Un coup de tonnerre
et autres nouvelles

Ray Bradbury

Pour approfondir

L'auteur

 ## Un travailleur précoce

Ray Bradbury est né aux États-Unis le 22 août 1920 à Waukagan dans l'État de l'Illinois. Ses grands-parents sont éditeurs de journaux. Son père, marié à une Suédoise, est un technicien spécialisé dans la maintenance des réseaux électriques. Après deux brefs séjours en Arizona, en 1926 et 1932, la famille s'installe, en 1934, à Los Angeles (Californie). C'est là que Ray Bradbury effectue ses études secondaires. Il refuse toutefois en 1938 de les prolonger à l'université. Comme il lui faut bien vivre, il devient vendeur de journaux dans les rues.

 ## Un lecteur et un écrivain nés

Sa formation intellectuelle, Ray Bradbury la trouve et la parachève dans les livres. Depuis son plus jeune âge, la lecture est son passe-temps favori. Quand il ne lit pas, chez lui ou dans les bibliothèques publiques dont il est un familier assidu, Ray Bradbury écrit : chaque jour, depuis l'âge de douze ans ! Sans doute influencé par les héros de science-fiction de sa jeunesse, il se lance à son tour dans la rédaction de nouvelles elles-mêmes de science-fiction. La première paraît en 1938, bientôt suivie de beaucoup d'autres, publiées dans des revues et des magazines. Trop oniriques, celles-ci déconcertent d'abord le public. Ray Bradbury ne se décourage pas pour autant. En 1943, il cesse son métier de vendeur de journaux pour se consacrer à plein temps à l'écriture. Dès lors, sa vie se confond presque avec son œuvre.

 ## Un auteur à succès

Ce n'est qu'à partir de 1945 que Ray Bradbury commence à être apprécié. Cette année-là, il reçoit le Prix de la meilleure nouvelle américaine (pour *The Big Black and the White Game*). Ses *Chroniques martiennes* (1950 ; traduction française 1954) et son roman *Fahrenheit 451* (1953 ; traduction française 1955) lui apportent la consécration. Entre-temps, en 1947, Ray Bradbury s'est marié. Il deviendra père de quatre filles. Récompenses et prix littéraires ne cesseront de lui être décernés : depuis le World Fantasy Award en 1977 jusqu'au Bram Stoker Award en 1989 en passant bien d'autres. Les distinctions ne sont pas moins nombreuses. Nominé pour le prestigieux prix Pulitzer, il reçoit en 2004 la National Medail of Arts. En France, il est depuis 2007, commandeur des Arts et des Lettres. Devenu quasiment une star, il a, au même titre que les acteurs célèbres, sa plaque sur Hollywood Boulevard.

Un auteur prolixe

À force d'écrire tous les jours, Ray Bradbury a composé une œuvre considérable. Le succès de ses *Chroniques martiennes* puis de *Fahrenheit 451* a fait de lui l'auteur américain de science-fiction le plus connu. Mais, s'il est effectivement un auteur de science-fiction, on ne saurait réduire son œuvre à ce seul aspect. Ray Bradbury pratique en effet de nombreux genres littéraires. En ne prenant en compte que ses œuvres traduites en français, il est l'auteur d'une quinzaine de romans (*Le Vin de l'été,* trad. française 1959 ; ou encore *Il faut tuer Constance,* 2004), de vingt-sept recueils de nouvelles (dont *La Sorcière d'avril et autres nouvelles,* 2008), sans compter les nouvelles publiées isolément dans des revues, et de trois pièces de théâtre (*Café irlandais,* 1965). Ray Bradbury travaille par ailleurs souvent pour la télévision, soit en y adaptant ses propres textes, soit en collaborant à leur adaptation.

À retenir

Né en 1920 dans l'Illinois, Ray Bradbury est un écrivain américain mondialement connu. Grand lecteur, c'est un écrivain né. Le succès de ses romans, amplifié par le cinéma, lui a valu d'être très tôt classé parmi les auteurs de science-fiction. Il est effectivement l'un des principaux représentants de ce genre. Mais Bradbury écrit aussi des pièces de théâtre, des nouvelles policières et même de la poésie.

L'œuvre

 Des romans de science-fiction

Une partie de l'œuvre romanesque de Ray Bradbury relève de la science-fiction, dont il est considéré comme l'un des maîtres incontestés. Ses *Chroniques martiennes* (1950) relatent la conquête et la colonisation de la planète Mars par des Terriens. *Fahrenheit 451* décrit une société où il est interdit de lire et d'écrire. Policiers et pompiers saisissent et brûlent livres et bibliothèques jusqu'au jour où Montag, policier lui-même, se met à lire en cachette. Ces deux romans sont devenus d'autant plus célèbres qu'ils ont été portés à l'écran. Ce ne sont pas les seuls. *La Foire des ténèbres* (1964) ou *Ahmed et les prisons du temps* (1998) appartiennent à cette même veine.

 Des nouvelles très variées

Ray Bradbury est l'auteur d'innombrables nouvelles, publiées tantôt en recueils tantôt isolément dans des revues et magazines. Elles sont de genres très différents les unes des autres. Certaines renvoient à la science-fiction en tant que telle, comme *Les Machines à bonheur* (1964), *L'Homme illustré* (1954) ou *Un dimanche tant bien que mal* (1979). D'autres mêlent science-fiction et fantastique, comme *Trois Automnes fantastiques* (2002), *La Sorcière d'avril* (2008) ou *Le Monstre des temps perdus* : à la suite d'une explosion atomique, un rhédosaure, un animal préhistorique, qui hibernait jusque-là dans la banquise, se réveille. D'autres encore sont proches du genre policier, tels *Meurtres en douceur* (2004). *Jeu d'octobre* (1965), *Pour solde de tous comptes* (1978) font partie de la littérature d'épouvante. Si l'on ne considère que les nouvelles traduites en français, Ray Bradbury en a écrit plus d'une centaine.

 Poésie et théâtre

Même s'il y excelle, Ray Bradbury ne s'est pas limité au genre de l'anticipation et de la science-fiction. Écrivain complet, il est aussi poète avec, notamment, deux recueils de poésie, aux titres pour le moins déconcertants : *Pour les chiens c'est tous les jours Noël* (1998) et *Avec un chat pour édredon* (1998). C'est aussi un dramaturge avec *Café irlandais* (1965), *Théâtre pour demain… et après* (1972) ou encore *La Colonne de feu* (1975).

 ### Cinéma, télévision et attractions

Nombreuses sont ses œuvres qui ont été portées à l'écran. En 1953, le réalisateur E. Lourié réalise *Le Monstre des temps perdus* ; en 1966, François Truffaut tourne *Fahrenheit 451* ; en 1983, l'Américain J. Clayton adapte *La Foire des ténèbres*, et, en 2005, Peter Hyams réalise *Un coup de tonnerre*. Si Bradbury n'a pas toujours participé à l'écriture de leurs scénarios, il en a lui-même rédigé plusieurs. Ainsi, de 1985 à 1992, il adapte pour la télévision plus de soixante de ses nouvelles. Il est même le coauteur, avec le cinéaste John Huston, du scénario de *Moby Dick* (1956), d'après le roman d'Herman Melville (1819-1891) du même nom. C'est que toutes les formes d'expression intéressent Ray Bradbury, même les plus inattendues pour un écrivain mondialement célèbre. Il a ainsi participé à la conception et construction du « vaisseau de l'espace » d'Epcot à Disney World ou, en France, à celles de l'Orbitron à Euro Disney !

 ## À retenir

L'œuvre de Ray Bradbury est imposante, importante et variée. Il est considéré comme l'un des plus grands auteurs de science-fiction. Machines à explorer le temps ou à le remonter, fusées et voyages interplanétaires lui sont des objets et des domaines familiers. À la science-fiction, il a donné ses lettres de noblesse. Bradbury n'en a pas moins pratiqué d'autres genres, comme la poésie et le théâtre, sans oublier adaptations cinématographiques et télévisuelles.

Pourquoi lire l'œuvre ?

 Pour voyager

Lire est toujours une invitation au voyage. Lire les nouvelles de Ray Bradbury le sont davantage encore. Avec *Un coup de tonnerre*, nous embarquons à bord d'une machine à remonter le temps : nous voici transportés à l'époque des dinosaures ! Avec *Le Cadeau*, nous sommes projetés dans le futur : nous effectuons notre premier voyage interplanétaire ! Dans *Ils avaient la peau brune et les yeux dorés*, nous habitons déjà Mars et depuis longtemps ! Si *La Fusée*, *L'Authentique Momie égyptienne* et *Le Dernier Cirque* nous font rester sur la Terre, nous voyageons tout de même encore, en rêvant cette fois à la magie des étoiles, à l'Égypte des pharaons ou à la féerie d'un spectacle.

 Pour s'étonner

Nécessairement brève, la nouvelle doit posséder un fort intérêt dramatique. Son dénouement inattendu suscite la curiosité, l'interrogation et la surprise. Les Terriens habitant Mars reviendront-ils un jour sur la Terre ? Qui, du dinosaure ou du chasseur, tuera l'autre ? S'il est possible de remonter loin dans le passé, peut-on en revenir sans risque ? Par quel bricolage peut-on faire décoller une fusée hors d'usage ? Et qu'est-ce qui, d'une imposture ou d'un rêve, est le plus « vrai » ? Les réponses à ces questions ne vont pas de soi. Elles amusent, déconcertent, étonnent. Et l'on admire l'ingéniosité créatrice de l'auteur.

 Pour analyser

Ray Bradbury est un spécialiste de la science-fiction (même s'il a pratiqué de nombreux genres différents). Mais qu'est-ce que la science-fiction ? Qu'est-ce qui la différencie de l'imagination, du conte ou du fantastique ? La science-fiction commence-t-elle là où s'arrêtent les connaissances scientifiques et techniques ? Ou bien permet-elle toutes les audaces et imaginations ? Les fusées existent, l'homme a déjà marché sur la Lune, mais aucun voyage interplanétaire habité n'a encore vu le jour. Que se passerait-il si ce type de voyage devenait réalité ? Voilà un des domaines privilégiés de la science-fiction : considérer comme possible, donc vrai, ce qui ne l'est pas encore, ce qui pourra (pourrait ?) le devenir. Le fantastique, quant à lui, est une hésitation de l'esprit, à mi-chemin entre le naturel et le surnaturel, entre le réel et l'imaginaire. Est-ce vrai ? Est-ce faux ? Impossible d'en décider. Le fantastique est une incertitude présente ; la science-fiction est une virtualité.

 ### Pour réfléchir

Si on remonte dans le passé, peut-on modifier ce passé ? En le modifiant, peut-on changer l'Histoire, donc le futur de l'humanité ? *Un coup de tonnerre* est l'illustration de « l'effet papillon » : un événement infime (comme le battement d'aile d'un papillon) peut avoir ailleurs ou plus tard des conséquences incalculables. Quand les humains coloniseront d'autres planètes, en feront-ils des copies plus ou moins conformes de la Terre ? S'inventeront-ils de nouvelles manières de vivre ? Comment considéreront-ils la Terre ? Voudront-ils même y revenir ? Même si elles ne sont pas (encore) d'actualité, ces questions sont tout à la fois politiques, morales, philosophiques. Voilà de quoi nourrir la réflexion, de quoi débattre et méditer.

 ## À retenir

Les nouvelles de Ray Bradbury transportent dans un ailleurs toujours renouvelé : loin dans le passé ou dans le futur ; dans les rêves ou dans des lieux magiques. Surpris, étonné, ravi, le lecteur n'en apprend et n'en réfléchit pas moins sur ce qu'est la science-fiction et sur les questions, très humaines, qu'elle soulève. La science-fiction d'aujourd'hui peut en effet être la science tout court de demain.

Un coup de tonnerre
et autres nouvelles

Ils avaient la peau brune
et les yeux dorés

Le Cadeau

La Fusée

L'Authentique Momie égyptienne
faite maison du colonel Stonesteel

Le Dernier Cirque

Ray **Bradbury**

Un coup de tonnerre[1]

L'écriteau sur le mur semblait bouger comme si Eckels le voyait à travers une nappe mouvante d'eau chaude. Son regard devint fixe, ses paupières se mirent à clignoter et l'écriteau s'inscrivit en lettres de feu sur leur écran obscur :

5   *Soc[2]. La chasse à travers les âges[3].*
Partie de chasse dans le Passé.
Nous vous transportons.
Vous le tuez.

Un jet de phlegme[4] chaud s'amassait dans la gorge d'Eckels ;
10 il se racla la gorge et le cracha. Les muscles autour de sa bouche se crispèrent en un sourire pendant qu'il levait lentement la main et qu'au bout de ses doigts voletait[5] un chèque de dix mille dollars qu'il tendit à l'homme assis derrière le guichet.

— Garantissez-vous qu'on en revienne vivant ?

15 — Nous ne garantissons rien, répondit l'employé, sauf les dinosaures. (Il se retourna.) Voici Mr Travis, votre guide dans le Passé. Il vous dira sur quoi et quand il faut tirer. S'il vous dit de

---

1. **Un coup de tonnerre :** le titre original de cette nouvelle est *A sound of thunder*. Elle est ici traduite de l'anglais par Richard Negrou. Extrait de *Les Pommes d'or du soleil.*
2. **Soc :** abréviation pour « société ».
3. **La chasse à travers les âges :** nom et raison sociale de la société.
4. **Phlegme :** ou flegme ; liquide provenant de glaires ; il s'agit donc ici d'un renvoi, proche du vomissement.
5. **Voletait :** voltigeait.

ne pas tirer, il ne faut pas tirer. Si vous enfreignez[1] les instructions, il y a une pénalité de dix mille dollars, à payer ferme. Peut-
20 être aussi des poursuites gouvernementales à votre retour.

Eckels jeta un regard à l'autre bout de la grande pièce sur l'amas de boîtes et de fils d'acier bourdonnants, enchevêtrés comme des serpents, sur ce foyer de lumière qui lançait des éclairs, tantôt orange, tantôt argentés, tantôt bleus. On
25 entendait un crépitement pareil à un feu de joie brûlant le Temps lui-même, les années, le parchemin des calendriers, les heures empilées et jetées au feu.

Le simple contact d'une main aurait suffi pour que ce feu, en un clin d'œil, fasse un fameux retour sur lui-même. Eckels
30 se rappela le topo[2] de la notice qu'on lui avait envoyée au reçu de sa lettre. Hors de[3] l'ombre et des cendres, de la poussière et de la houille[4], pareilles à des salamandres[5] dorées, les années anciennes, les années de jeunesse devaient rejaillir ; des roses embaumer l'air à nouveau, les cheveux blancs
35 redevenir d'un noir de jais[6], les rides s'effacer, tous et tout retourner à l'origine, fuir la mort à reculons, se précipiter vers leur commencement ; les soleils se lever à l'ouest et courir vers de glorieux couchants à l'est, des lunes croître et décroître contrairement à leurs habitudes, toutes les choses
40 s'emboîter l'une dans l'autre comme des coffrets chinois[7],

---

1. **Enfreignez :** transgressez.
2. **Topo :** exposé.
3. **Hors de :** dépend du verbe « rejaillir ».
4. **Houille :** charbon.
5. **Salamandres :** petits animaux noirs tachés de jaune.
6. **Jais :** roche brillante de couleur noire.
7. **Comme des coffrets chinois :** coffrets chinois de tailles différentes qui s'emboîtent les uns dans les autres.

les lapins rentrer dans les chapeaux, tous et tout revenir en arrière, du néant qui suit la mort passer au moment même de la mort, puis à l'instant qui l'a précédée, retourner à la vie, vers le temps d'avant les commencements. Un geste de
45 la main pouvait le faire, le moindre attouchement[1].

— Enfer et damnation[2], soupira Eckels, son mince visage éclairé par l'éclat de la Machine. Une vraie Machine à explorer le Temps ! (Il secoua la tête.) Mais j'y pense ! Si hier les élections avaient mal tourné, je devrais être ici actuellement
50 en train de fuir les résultats. Dieu soit loué, Keith a vaincu. Ce sera un fameux président des États-Unis.

— Oui, approuva l'homme derrière le guichet. Nous l'avons échappé belle. Si Deutcher avait vaincu, nous aurions la pire des dictatures. Il est l'ennemi de tout ; militariste, antéchrist[3],
55 hostile à tout ce qui est humain ou intellectuel. Des tas de gens sont venus nous voir, ici, pour rire soi-disant, mais c'était sérieux dans le fond. Ils disaient que si Deutcher devenait président, ils aimeraient mieux aller vivre en 1492[4]. Évidemment, ce n'est pas notre métier de faire des caravanes de sauvetage,
60 mais bien de préparer des parties de chasse. De toute façon, nous avons à présent Keith comme président. Tout ce dont vous avez à vous préoccuper aujourd'hui est de...

— Chasser mon dinosaure, conclut Eckels à sa place.

— Un *Tyrannosaurus rex*[5]. Le Lézard du Tonnerre, le plus terri-

---

1. **Attouchement :** effleurement.
2. **Enfer et damnation :** expression littéraire pour dire sa colère ou son désespoir.
3. **Antéchrist :** ennemi du Christ, de la religion chrétienne.
4. **1492 :** année de la découverte de l'Amérique par Christophe Colomb.
5. *Tyrannosaurus rex :* appellation latine pour « le roi Tyrannosaure », désignant un reptile carnivore mesurant jusqu'à 15 mètres de long.

65 ble monstre de l'histoire. Signez ce papier. Quoi qu'il arrive, nous ne sommes pas responsables. Ces dinosaures sont affamés.

Eckels se fâcha tout rouge.

— Vous essayez de me faire peur !

— Franchement, oui. Nous ne voulons pas de gars en proie
70 à la panique dès le premier coup de fusil. Six guides ont été tués l'année dernière et une douzaine de chasseurs. Nous sommes ici pour vous fournir l'émotion la plus forte qu'ait jamais demandée un vrai chasseur, pour vous emmener soixante millions d'années en arrière, pour vous offrir la plus
75 extraordinaire partie de chasse de tous les temps ! Votre chèque est encore là. Déchirez-le.

Mr Eckels regarda longuement le chèque. Ses doigts se crispèrent.

— Bonne chance, dit l'homme derrière son guichet.
80 Mr Travis, emmenez-le.

Ils traversèrent silencieusement la pièce, emportant leurs fusils, vers la Machine, vers la masse argentée, vers la lumière vrombissante.

Pour commencer, un jour et puis une nuit, et puis encore un
85 jour et une nuit encore, puis ce fut le jour, la nuit, le jour, la nuit, le jour. Une semaine, un mois, une année, une décade[1], 2055 après Jésus-Christ, 2019, 1999, 1957 ! Partis ! La Machine vrombissait.

Ils mirent leur casque à oxygène et vérifièrent les joints.

90 Eckels, secoué sur sa chaise rembourrée, avait le visage pâle, la mâchoire contractée. Il sentait les trépidations[2] dans ses bras et, en baissant les yeux, il vit ses mains raidies sur

----

1. **Décade :** période de dix jours.
2. **Les trépidations :** les secousses.

son nouveau fusil. Il y avait quatre hommes avec lui dans la Machine : Travis, le guide principal, son aide Lesperance, et
95 deux autres chasseurs, Billings et Kramer. Ils se regardaient les uns les autres, et les années éclataient autour d'eux.

Eckels s'entendit dire :

— Est-ce que ces fusils peuvent au moins tuer un dinosaure ?

100 Travis répondit dans son casque radio :

— Si vous le visez juste. Certains dinosaures ont deux cerveaux ; l'un dans la tête, l'autre loin derrière, dans la colonne vertébrale. Ne vous en préoccupez pas. C'est au petit bonheur la chance[1]. Visez les deux premières fois les
105 yeux, aveuglez-le si vous pouvez, puis occupez-vous du reste.

La Machine ronflait. Le Temps ressemblait à un film déroulé à l'envers. Des soleils innombrables couraient dans le ciel, suivis par dix millions de lunes.

110 — Bon Dieu, dit Eckels, le plus grand chasseur qui ait jamais vécu nous envierait aujourd'hui. Quand on voit cela, l'Afrique ne vaut pas plus que l'Illinois[2].

La Machine ralentit, le vacarme qu'elle faisait se transforma en murmure. Elle s'arrêta.

115 Le soleil se fixa dans le ciel.

Le brouillard qui avait entouré la Machine se dispersa et ils se trouvèrent dans des temps anciens, très anciens en vérité, trois chasseurs et deux guides avec leurs fusils d'acier posés sur leurs genoux.

---

1. **C'est au petit bonheur la chance :** expression proverbiale pour dire que tout est question de hasard, bon ou mauvais.
2. **L'Illinois :** un des États des États Unis.

120 — Le Christ n'est pas encore né, dit Travis. Moïse[1] n'est pas encore monté sur la montagne pour y parler avec Dieu. Les Pyramides sont encore dans les carrières attendant qu'on vienne les tailler et qu'on les érige. Pensez un peu : Alexandre[2], César, Napoléon, Hitler, aucun d'eux n'existe encore.

125 D'un signe de tête les hommes approuvèrent.

— Ceci (Mr Travis souligna ses paroles d'un large geste.), c'est la jungle d'il y a soixante millions deux mille cinquante-cinq années avant le président Keith.

Il montra une passerelle métallique qui pénétrait dans une
130 végétation sauvage, par-dessus les marais fumants de vapeur, parmi les fougères géantes et les palmiers.

— Et cela, dit-il, c'est la Passerelle posée à six pouces au-dessus de la terre. Elle ne touche ni fleur ni arbre, pas même un brin d'herbe. Elle est construite dans un métal « antigra-
135 vitation ». Son but est de vous empêcher de toucher quoi que ce soit de ce monde du Passé. Restez sur la Passerelle. Ne la quittez pas. Je répète. Ne la quittez pas. Sous aucun pré-texte. Si vous tombez au-dehors vous aurez une amende. Et ne tirez sur aucun animal à moins qu'on ne vous dise que vous
140 pouvez le faire.

— Pourquoi ? demanda Eckels.

Ils étaient dans la plus ancienne des solitudes. Des cris d'oiseaux lointains arrivaient sur les ailes du vent et il y avait une odeur de goudron, de sel marin, d'herbes moisies et de
145 fleurs couleur de sang.

---

1. **Moïse :** prophète et fondateur de la nation d'Israël. Il est censé avoir rapporté du mont Sinaï les Tables de la Loi (les dix commandements) dictées par Dieu.
2. **Alexandre :** Alexandre le Grand (vers 356-vers 323 avant notre ère), roi de Macédoine et grand conquérant.

« Nous n'avons pas envie de changer le Futur. Nous n'appartenons pas à ce Passé. Le gouvernement n'aime pas beaucoup nous savoir ici. Nous devons payer de sérieux pots-de-vin pour garder notre autorisation. Une Machine à explorer
150 le Temps est une affaire sacrément dangereuse. Si on l'ignore, on peut tuer un animal important, un petit oiseau, un poisson, une fleur même et détruire du même coup un chaînon important d'une espèce à venir.

— Ce n'est pas très clair, dit Eckels.

155 — Bon, expliqua Travis, supposons qu'accidentellement nous détruisons une souris ici. Cela signifie que nous détruisons en même temps tous les descendants futurs de cette souris. C'est clair ?

— C'est clair.

160 — Et tous les descendants des descendants des descendants de cette souris aussi. D'un coup de pied malheureux, vous faites disparaître une, puis une douzaine, un millier, un million de souris à venir !

— Bon, disons qu'elles sont mortes, approuva Eckels, et
165 puis ?

— Et puis ?... (Travis haussa tranquillement les épaules.) Eh bien, qu'arrivera-t-il des renards qui ont besoin de ces souris pour vivre ? Privé de la nourriture que représentent dix renards, un lion meurt de faim. Un lion de moins et toutes sortes d'insectes, des aigles, des
170 millions d'êtres minuscules sont voués à la destruction, au chaos. Et voici ce qui pourrait arriver cinquante-cinq millions d'années plus tard : un homme des cavernes — un parmi une douzaine dans le monde entier — va chasser, pour se nourrir, un sanglier ou un tigre ; mais vous, cher ami, vous avez détruit tous les tigres de
175 cette région. En tuant une souris. Et l'homme des cavernes meurt de faim. Et cet homme des cavernes n'est pas un homme parmi tant

d'autres. Non ! Il représente toute une nation à venir. De ses entrailles auraient pu naître dix fils. Et ceux-ci auraient eu, à leur tour,
une centaine de fils à eux tous. Et ainsi de suite jusqu'à ce qu'une
180 civilisation naisse. Détruisez cet homme et vous détruisez une
race, un peuple, toute une partie de l'histoire de l'humanité. C'est
comme si vous égorgiez quelques-uns des petits-fils d'Adam[1]. Le
poids de votre pied sur une souris peut déchaîner un tremblement de
terre dont les suites peuvent ébranler, jusqu'à leurs bases, notre terre
185 et nos destinées, dans les temps à venir. Un homme des cavernes
meurt à présent et des millions d'hommes qui ne sont pas encore
nés périssent dans ses entrailles. Peut-être Rome ne s'élèvera-t-elle
jamais sur ses sept collines[2]. Peut-être l'Europe restera-t-elle pour
toujours une forêt vierge et seule l'Asie se peuplera, deviendra
190 vigoureuse et féconde. Écrasez une souris et vous démolissez
les Pyramides. Marchez sur une souris et vous laissez votre
empreinte, telle une énorme crevasse, pour l'éternité. La reine
Élisabeth[3] pourrait ne jamais naître, Washington[4] ne jamais traverser le Delaware[5], les États-Unis ne jamais figurer sur aucune
195 carte géographique. Aussi, prenez garde. Restez sur la Passerelle.
Ne faites pas un pas en dehors !

---

1. **Petits-fils d'Adam :** selon la Genèse, dans la Bible, Adam fut le premier
homme créé par Dieu.
2. **Sept collines :** Rome fut bâtie sur sept collines.
3. **La reine Élisabeth :** Élisabeth II d'Angleterre, née en 1926.
4. **Washington :** Georges Washington (1732-1799), général et homme
politique américain ; il commanda les armées qui luttèrent contre les
Anglais pour obtenir l'indépendance de leur pays.
5. **Traverser le Delaware :** le Delaware est un fleuve des États-Unis, sépa-
rant l'État de Pennsylvanie de celui de New York. *Washington traversant
le Delaware* est une toile datant de 1851 du peintre américain Emanuel
Leutze. Elle commémore la traversée du fleuve par Washington le 25 décembre 1776 durant la guerre de l'Indépendance américaine.

— Je vois en effet, dit Eckels. Ce serait grave, même si nous ne touchions qu'un brin d'herbe ?

— C'est bien cela. Écraser une petite plante de rien du tout
200 peut avoir des conséquences incalculables. Une petite erreur ici peut faire boule de neige et avoir des répercussions disproportionnées dans soixante millions d'années. Évidemment, notre théorie peut être fausse. Peut-être n'avons-nous aucun pouvoir sur le temps ; peut-être encore le changement que
205 nous provoquerions n'aurait-il lieu que dans des détails plus subtils. Une souris morte ici peut provoquer ailleurs le changement d'un insecte, un déséquilibre dans les populations à venir, une mauvaise récolte un jour lointain, une balance économique déficitaire, une famine et finalement
210 changer l'âme même d'une société à l'autre bout du monde. Ou bien quelque chose de plus subtil encore : un souffle d'air plus doux, un murmure, un rien, pollen égaré dans l'air, une différence si légère, si légère qu'on ne pourrait s'en apercevoir à moins d'avoir le nez dessus. Qui sait ? Qui peut hon-
215 nêtement se vanter de le savoir ? Nous l'ignorons. Nous n'en sommes qu'à des conjectures[1]. Mais tant que nous nageons dans l'incertitude sur la tempête ou le léger frémissement que peut créer notre incursion[2] dans le Temps, nous devons être bougrement prudents. Cette Machine, cette Passerelle,
220 vos habits ont été stérilisés[3], votre peau désinfectée avant le départ. Nous portons ces casques à oxygène, pour qu'aucune des bactéries que nous pourrions transporter ne risque de pénétrer dans ce monde du passé.

---

1. **Des conjectures :** des hypothèses.
2. **Notre incursion :** notre voyage.
3. **Stérilisés :** aseptisés, débarrassés de tout germe, bactérie et microbe.

225 — Comment savoir, dans ce cas, sur quels animaux tirer ?

— Ils ont été marqués à la peinture rouge, répondit Travis. Aujourd'hui, avant notre départ, nous avons envoyé Lesperance avec la Machine, ici. Il nous a précédés dans cette époque du Passé et a suivi à la trace quelques-uns des animaux.

230 — Vous voulez dire qu'il les a étudiés ?

— C'est cela même, approuva Lesperance. Je les ai observés tout au long de leur existence. Peu vivent vieux. J'ai noté leurs saisons d'amour. Rares. La vie est courte. Quand j'en trouvais un qui allait être écrasé par la chute d'un arbre ou 235 qui allait se noyer dans une mare de goudron, je notais l'heure exacte, la minute, la seconde. Je lançais sur lui une cartouche de peinture. Elle laissait une grosse tache sur sa peau. Impossible de ne pas la voir. Puis j'ai calculé le moment de notre arrivée dans le Passé, pour que nous rencontrions le 240 Monstre deux minutes à peine avant l'heure où de toute façon il devait mourir. Nous tuons ainsi seulement des animaux déjà sacrifiés qui ne devaient plus se reproduire. Vous voyez jusqu'où nous poussons la prudence !

— Mais si vous n'êtes revenu que ce matin dans le déroul-245 lement du Temps, réplique avec passion Eckels, vous avez dû être projeté, télescopé à travers nous, à travers notre groupe sur le chemin du retour. Comment tout cela a-t-il tourné ? Notre expédition a-t-elle réussi ? Avons-nous réussi à nous en tirer tous, indemnes ? »

250 Travis et Lesperance échangèrent un regard.

— Ce serait un paradoxe[1], dit le second d'entre eux. Le Temps

---

1. **Un paradoxe :** une bizarrerie, une contradiction, une chose inconcevable.

ne souffrirait pas un tel gâchis, la rencontre d'un homme avec lui-même. Lorsque de telles possibilités se présentent, le Temps fait un écart sur lui-même. Comme un avion s'écarte de sa
255 trajectoire en rencontrant une poche d'air. Avez-vous senti la Machine faire un bond juste au moment où elle allait s'arrêter ? C'était nous-mêmes, nous croisant sur le chemin du retour. Nous n'avons rien vu. Il nous serait impossible de dire si notre expédition a été un succès, si nous avons réussi à tuer
260 notre monstre ou si nous avons réussi tous — je pense spécialement à vous, Mr Eckels — à nous en tirer vivants.

Eckels sourit sans enthousiasme.

— Assez là-dessus, coupa court Travis. Tout le monde debout !
265 Ils étaient prêts à quitter la Machine.

La jungle autour d'eux était haute et vaste et le monde entier n'était qu'une jungle pour l'éternité. Des sons s'entrecroisaient, formant comme une musique, et le ciel était rempli de lourdes voiles flottantes : c'étaient des ptérodactyles[1] s'éle-
270 vant sur leurs grandes ailes grises, chauves-souris gigantesques échappées d'une nuit de délire et de cauchemar. Eckels se balançait sur l'étroite passerelle, pointant son fusil ici et là, en matière de jeu.

— Arrêtez ça ! s'écria Travis. Ce n'est pas une plaisanterie
275 à faire ! Si par malheur votre fusil partait !...

Eckels devint écarlate.

— Je ne vois toujours pas notre Tyrannosaure...

Lesperance regarda son bracelet-montre.

— Préparez-vous. Nous allons croiser sa route dans soixante

---

1. **Ptérodactyles :** reptiles préhistoriques possédant de grandes ailes membraneuses (d'où l'image des « lourdes voiles flottantes »).

280 secondes. Faites attention à la peinture rouge, pour l'amour de Dieu. Ne tirez pas avant que nous vous fassions signe. Restez sur la Passerelle. Restez sur la Passerelle !

Ils avancèrent dans le vent du matin.

— Étrange, murmura Eckels. À soixante millions d'années 285 d'ici, le jour des élections présidentielles est passé. Keith est élu président. Le peuple est en liesse. Et nous sommes ici : un million d'années en arrière et tout cela n'existe même plus. Toutes les choses pour lesquelles nous nous sommes fait du souci pendant des mois, toute une vie durant, ne sont pas 290 encore nées, sont presque impensables.

— Soyez sur vos gardes ! commanda Travis. Premier à tirer, vous, Eckels. Second, Billings. Troisième, Kramer.

— J'ai chassé le tigre, le sanglier, le buffle, l'éléphant, mais cette fois, doux Jésus, ça y est, s'exclama Eckels, je tremble 295 comme un gosse.

— Ah, fit Travis.

Ils s'arrêtèrent.

Travis leva la main.

— Devant nous, chuchota-t-il. Dans le brouillard. Il est là. 300 Il est là, Sa Majesté, le Tyrannosaure.

La vaste jungle était pleine de gazouillements, de bruissements, de murmures, de soupirs.

Et soudain, tout se tut comme si quelqu'un avait claqué une porte.

305 Le silence.

Un coup de tonnerre.

Sortant du brouillard, à une centaine de mètres, le Tyrannosaure rex avançait.

— Sainte Vierge, murmura Eckels.

310 — Chut !

Il arrivait planté sur d'énormes pattes, à larges enjambées, bondissant lourdement. Il dépassait d'une trentaine de pas[1] la moitié des arbres, gigantesque divinité maléfique, portant ses délicates pattes de devant repliées contre sa poitrine huileuse de reptile.

315 Par contre, chacune de ses pattes de derrière était un véritable piston, une masse d'os, pesant mille livres, enserrée dans un réseau de muscles puissants, recouverte d'une peau caillouteuse et brillante, semblable à l'armure d'un terrible guerrier. Chaque cuisse représentait un poids d'une tonne de chair, d'ivoire et de

320 mailles d'acier. Et de l'énorme cage thoracique[2] sortaient ces deux pattes délicates, qui se balançaient devant lui, terminées par de vraies mains qui auraient pu soulever les hommes comme des jouets, pendant que l'animal aurait courbé son cou de serpent pour les examiner. Et la tête elle-même était une pierre sculptée

325 d'au moins une tonne portée allègrement dans le ciel. La bouche béante laissait voir une rangée de dents acérées[3] comme des poignards. L'animal roulait ses yeux, grands comme des œufs d'autruche, vides de toute expression, si ce n'est celle de la faim. Il ferma sa mâchoire avec un grincement de mort. Il courait, les

330 os de son bassin écrasant les buissons, déracinant les arbres, ses pattes enfonçant la terre molle, y imprimant des traces profondes de six pouces. Il courait d'un pas glissant comme s'il exécutait une figure de ballet, incroyablement rapide et agile pour ses dix tonnes. Il avança prudemment dans cette arène[4] enso-

335 leillée, ses belles mains de reptile prospectant[5] l'air.

---

1. **Pas :** mesure de longueur équivalente à 75 cm.
2. **La cage thoracique :** la zone en forme de cage constituée des vertèbres, auxquelles sont reliées les côtes et le sternum.
3. **Acérées :** aiguisées.
4. **Arène :** lieu de combats.
5. **Prospectant :** fouillant, inspectant.

— Mon Dieu ! (Eckels se mordit les lèvres.) Il pourrait se dresser sur ses pattes et saisir la lune.

— Chut ! fit Travis furieux, il ne nous a pas encore vus.

— On ne pourra jamais le tuer. (Eckels prononça ce
340 verdict calmement comme si aucun argument ne pouvait lui être opposé. Le fusil dans sa main lui semblait une arme d'enfant.) Nous avons été fous de venir. C'est impossible.

— Taisez-vous enfin ! souffla Travis.

— Quel cauchemar !

345 — Allez-vous-en, ordonna Travis. Allez tranquillement dans la Machine. Nous vous rendrons la moitié de votre argent.

— Je n'aurais jamais pensé qu'il fût si grand, dit Eckels. Je me suis trompé. Je veux partir d'ici.

— Il nous a vus.

350 — La peinture rouge est bien sur sa poitrine.

Le Lézard du Tonnerre se dressa sur ses pattes. Son armure[1] brillait de mille éclats verts, métalliques. Dans tous les replis de sa peau, la boue gluante fumait et de petits insectes y grouillaient de telle façon que le corps entier semblait bouger et onduler
355 même quand le Monstre restait immobile. Il empestait. Une puanteur de viande pourrie se répandit sur la savane.

— Sortez-moi de là, s'écria Eckels. Je n'ai jamais été dans cet état. Je savais toujours que je m'en sortirais vivant. J'avais des bons guides, c'étaient des vraies parties de chasse, j'avais
360 confiance. Cette fois-ci, j'ai mal calculé. Je suis hors du jeu et le reconnais. C'est plus que je ne peux supporter.

— Ne vous affolez pas. Retournez sur vos pas. Attendez-nous dans la Machine.

— Oui.

---

1. **Son armure :** l'ensemble des écailles de sa peau.

365 Eckels semblait engourdi. Il regardait ses pieds comme s'ils étaient rivés au sol. Il poussa un gémissement d'impuissance.

— Eckels !

Il fit quelques pas, tâtonnant comme un aveugle.

— Pas par là !

370 Le Monstre, dès qu'il les vit bouger, se jeta en avant en poussant un terrible cri. En quatre secondes, il couvrit une centaine de mètres. Les hommes visèrent aussitôt et firent feu. Un souffle puissant sortit de la bouche du Monstre, les plongeant dans une puanteur de bave et de sang décomposé.

375 Il rugit et ses dents brillèrent au soleil.

Eckels, sans se retourner, marcha comme un aveugle vers le bout de la Passerelle ; traînant son fusil dans sa main, il descendit de la Passerelle et marcha sans même s'en rendre compte dans la jungle. Ses pieds s'enfonçaient dans la mousse

380 verte. Il se laissait porter par eux, et il se sentit seul, et loin de tout ce qu'il laissait derrière lui.

Les carabines tirèrent à nouveau. Leur bruit se perdit dans le vacarme de tonnerre que faisait le lézard. Le levier puissant de la queue du reptile se mit en marche, balaya la terre

385 autour de lui. Les arbres explosèrent en nuages de feuilles et de branches. Le Monstre étendit ses mains presque humaines pour étreindre les hommes, les tordre, les écraser comme des baies[1], les fourrer entre ses mâchoires, pour apaiser son gosier gémissant. Ses yeux globuleux[2] étaient à présent au ni-

390 veau des hommes. Ils pouvaient se mirer dedans. Ils firent feu sur les paupières métalliques, sur l'iris d'un noir luisant.

---

1. **Baies** : petits fruits.
2. **Yeux globuleux** : qui ont la forme d'un globe et qui ressortent de leurs orbites.

Comme une idole[1] de pierre, comme une avalanche de rochers, le Tyrannosaure s'écroula. Avec un terrible bruit, arrachant les arbres qu'il avait étreints, arrachant et tordant la Passerelle
395 d'acier. Les hommes se précipitèrent en arrière. Les dix tonnes de muscles, de pierre, heurtèrent la terre. Les hommes firent feu à nouveau. Le Monstre balaya encore une fois la terre de sa lourde queue, ouvrit ses mâchoires de serpent et ne bougea plus. Un jet de sang jaillit de son gosier. À l'intérieur de son corps,
400 on entendit un bruit de liquide. Ses vomissures trempaient les chasseurs. Ils restaient immobiles, luisants de sang.

Le tonnerre avait cessé.

La jungle était silencieuse. Après l'avalanche, la calme paix des végétaux. Après le cauchemar, le matin.

405 Billings et Kramer s'étaient assis sur la Passerelle et vomissaient. Travis et Lesperance, debout, leurs carabines encore fumantes, juraient ferme[2].

Dans la Machine, face contre terre, Eckels, couché, tremblait. Il avait retrouvé le chemin de la Passerelle, était monté
410 dans la Machine.

Travis revint lentement, jeta un coup d'œil sur Eckels, prit du coton hydrophile dans une boîte métallique, retourna vers les autres, assis sur la Passerelle.

— Nettoyez-vous.

415 Ils essuyèrent le sang sur leurs casques. Eux aussi, ils commencèrent à jurer. Le Monstre gisait, montagne de chair compacte. À l'intérieur, on pouvait entendre des soupirs et des murmures pendant que le grand corps achevait de mourir,

---

1. **Idole :** image d'une divinité.
2. **Juraient ferme :** prononçaient quantité de jurons.

les organes s'enrayaient[1], des poches de liquide achevaient de
420 se déverser dans des cavités ; tout finissait par se calmer, par
s'éteindre à jamais. Cela ressemblait à l'arrêt d'une locomotive
noyée, ou à la chaudière d'un bateau qu'on a laissée s'éteindre,
toutes valves[2] ouvertes, coincées. Les os craquèrent ; le poids
de cette énorme masse avait cassé les délicates pattes de de-
425 vant, prises sous elle. Le corps s'arrêta de trembler.

On entendit un terrible craquement encore. Tout en haut
d'un arbre gigantesque, une branche énorme se cassa, tomba.
Elle s'écrasa sur la bête morte.

— Et voilà ! (Lesperance consulta sa montre.) Juste à temps.
430 C'est le gros arbre qui était destiné dès le début à tomber et
à tuer l'animal. (Il regarda les deux chasseurs.) Voulez-vous
la photo-trophée ?

— Quoi ?

— Vous avez le droit de prendre un témoignage pour le
435 rapporter dans le Futur. Le corps doit rester sur place, là où
il est mort, pour que les insectes, les oiseaux, les microbes
le trouvent là où ils devaient le trouver. Tout à sa place. Le
corps doit demeurer ici. Mais nous pouvons prendre une
photo de vous à ses côtés.

440 Les deux hommes essayèrent de rassembler leurs esprits,
mais ils renoncèrent, secouant la tête.

Ils se laissèrent conduire le long de la Passerelle. Ils se laissèrent tomber lourdement sur les coussins de la Machine.
Ils jetèrent encore un regard sur le Monstre déchu, la masse
445 inerte, l'armure fumante à laquelle s'attaquaient déjà d'étranges oiseaux-reptiles et des insectes dorés.

---

1. **S'enrayaient :** dont la mécanique s'emballait.
2. **Valves :** une valve est un appareil réglant le mouvement des liquides.

Un bruit sur le plancher de la Machine les fit se redresser.
Eckels, assis, continuait à frissonner.

— Excusez-moi, prononca-t-il enfin.

450 — Debout ! lui cria Travis.

Eckels se leva.

— Sortez sur la Passerelle, seul. (Travis le menaçait de son
fusil.) Ne revenez pas dans la Machine. Vous resterez ici !

Lesperance saisit le bras de Travis.

455 — Attends...

— Ne te mêle pas de ça ! (Travis secoua la main sur son
bras.) Ce fils de cochon a failli nous tuer. Mais ce n'est pas
ça. Diable non. Ce sont ses souliers ! Regardez-les. Il est descendu de la Passerelle. C'est notre ruine ! Dieu seul sait ce
460 que nous aurons à payer comme amende. Des dizaines de milliers de dollars d'assurance ! Nous garantissons que personne
ne quittera la Passerelle. Il l'a quittée. Sacré idiot ! Nous de-
vrons le signaler au gouvernement. Ils peuvent nous enlever
notre licence[1] de chasse. Et Dieu seul sait quelles suites cela
465 aura sur le Temps, sur l'Histoire !

— Ne t'affole pas. Il n'a fait qu'emporter un peu de boue
sur ses semelles.

— Qu'en sais-tu ? s'écria Travis. Nous ignorons tout ! C'est
une sacrée énigme. Sortez, Eckels !

470 Eckels fouilla dans les poches de sa chemise.

— Je payerai tout. Cent mille dollars !

Travis jeta un regard vers le carnet de chèques d'Eckels et cracha.

— Sortez. Le Monstre est près de la Passerelle. Plongez
vos bras jusqu'aux épaules dans sa gueule. Puis vous pour-
475 rez revenir avec nous.

---

1. **Licence :** permis, autorisation.

— Ça n'a pas de sens !

— Le Monstre est mort, sale bâtard[1] ! Les balles ! Nous ne pouvons pas laisser les balles derrière nous. Elles n'appartiennent pas au Passé ; elles peuvent changer quelque chose.
480 Voici mon couteau. Récupérez-les.

La vie de la jungle avait repris, elle était à nouveau pleine de murmures, de cris d'oiseaux. Eckels se retourna lentement pour regarder les restes de l'animal préhistorique, cette montagne de cauchemar et de terreur. Après un moment
485 d'hésitation, comme un somnambule, il se traîna dehors, sur la Passerelle.

Il revint en frissonnant cinq minutes plus tard, ses bras couverts de sang jusqu'aux épaules. Il tendit les mains. Chacune renfermait un certain nombre de balles d'acier.
490 Puis il s'écroula. Il resta sans mouvement là où il était tombé.

— Tu n'aurais pas dû lui faire faire ça, dit Lesperance.

— En es-tu si sûr ? C'est un peu tôt pour en juger. (Travis poussa légèrement le corps étendu.) Il vivra. Et une autre
495 fois, il ne demandera plus à aller à des parties de chasse de ce calibre[2]. Eh bien ? (Il fit péniblement un geste du pouce vers Lesperance.) Mets en marche. Rentrons !

1492. 1776. 1812.

Ils se lavèrent les mains et le visage. Ils changèrent leurs
500 chemises et leurs pantalons tachés de sang caillé.

Eckels revenu à lui, debout, se taisait. Travis le regardait attentivement depuis quelques minutes.

---

1. **Sale bâtard :** expression injurieuse.
2. **De ce calibre :** de ce niveau.

— Avez-vous fini de me regarder ? s'écria Eckels. Je n'ai rien fait.

505 — Qu'en savez-vous ?

— Je suis descendu de la Passerelle, c'est tout, et j'ai un peu de boue sur mes chaussures. Que voulez-vous que je fasse, me mettre à genoux et prier ?

— Vous devriez le faire. Je vous avertis, Eckels, je pourrais 510 encore vous tuer. Mon fusil est prêt, chargé.

— Je suis innocent, je n'ai rien fait !

1999. 2000. 2055.

La Machine s'arrêta.

— Sortez, dit Travis.

515 Ils se trouvaient à nouveau dans la pièce d'où ils étaient partis. Elle était dans le même état où ils l'avaient laissée. Pas tout à fait le même cependant. Le même homme était bien assis derrière le guichet. Mais le guichet n'était pas tout à fait pareil lui non plus.

520 Travis jeta un regard rapide autour de lui.

— Tout va bien ici ? fit-il sèchement.

— Tout va bien. Bon retour !

Travis était tendu. Il paraissait soupeser la poussière dans l'air, examiner la façon dont les rayons de soleil pénétraient 525 à travers la haute fenêtre.

— Ça va, Eckels, vous pouvez partir. Et ne revenez jamais ! Eckels était incapable de bouger.

— Vous m'entendez, dit Travis. Que regardez-vous ainsi ?

Eckels, debout, humait l'air, et, dans l'air il y avait quelque 530 chose, une nuance nouvelle, une variation chimique, si subtile, si légère que seul le frémissement de ses sens alertés l'en avertissait. Les couleurs — blanc, gris, bleu, orange — des murs, des meubles, du ciel derrière les vitres, étaient... étaient...

On sentait quelque chose dans l'air. Son corps tremblait,
535 ses mains se crispaient. Par tous les pores de sa peau, il
sentait cette chose étrange. Quelqu'un, quelque part, avait
poussé un de ces sifflements qui ne s'adressent qu'au chien.
Et son être entier se figeait aux écoutes.

Hors de cette pièce, derrière ce mur, derrière cet homme
540 qui n'était pas tout à fait le même homme, assis derrière ce
guichet qui n'était pas tout à fait le même guichet... il y avait
tout un monde d'êtres, de choses...

Comment se présentait ce monde nouveau, on ne pouvait
le deviner. Il le sentait en mouvement, là, derrière les murs
545 comme un jeu d'échecs dont les pièces étaient poussées par
un souffle violent. Mais un changement était visible déjà :
l'écriteau imprimé, sur le mur, celui-là même qu'il avait lu
tantôt, lorsqu'il avait pénétré pour la première fois dans ce
bureau. On y lisait :

550 *Soc. La chas[1] à traver les âge*
Parti de chas dans le Passé
Vou choisises l'animal[2].
Nou vou transportons.
Vou le tuez.

555 Eckels se laissa choir[3] dans un fauteuil. Il se mit à gratter
comme un fou la boue épaisse de ses chaussures. Il recueillit
en tremblant une motte de terre. « Non, cela ne peut être.

---

1. *La chas :* la chasse ; signe des modifications intervenues, les mots se
sont atrophiés, perdant leurs syllabes ou lettres finales.
2. *Vou choisises l'animal :* cette indication ne figurait pas sur l'écriteau au
début.
3. **Choir :** tomber.

Non, pas une petite chose comme celle-ci. Non !... »

Enchâssé[1] dans la boue, jetant des éclairs verts, or et noirs,
560 il y avait un papillon admirable et, bel et bien, mort.

— Pas une petite bête pareille, pas un papillon ! s'écria
Eckels.

Une chose exquise[2] tomba sur le sol, une petite chose qui
aurait à peine fait pencher une balance, à peine renversé une
565 pièce de domino, puis une rangée de pièces de plus en plus
grandes, gigantesques, à travers les années et dans la suite
des Temps. Eckels sentit sa tête tourner. Non, cela ne pouvait changer les choses. Tuer un papillon ne pouvait avoir
une telle importance.

570 Et si pourtant cela était ?

Il sentit son visage se glacer. Les lèvres tremblantes, il
demanda :

— Qui... qui a vaincu aux élections présidentielles hier ?

L'homme derrière le guichet éclata de rire.

575 — Vous vous moquez de moi ? Vous le savez bien.
Deutcher naturellement ! Qui auriez-vous voulu d'autre ?
Pas cette sacrée chiffe molle[3] de Keith. Nous avons enfin
un homme à poigne, un homme qui a du cœur au ventre,
pardieu ! (L'employé s'arrêta.) Quelque chose ne va pas ?

580 Eckels balbutia, tomba à genoux. À quatre pattes, les doigts
tremblants, il cherchait à saisir le papillon doré.

— Ne pourrions-nous pas !... (Il essayait de se convaincre lui-même, de convaincre le monde entier, les employés,
la Machine.) Ne pourrions-nous pas le ramener là-bas, lui

---

1. **Enchâssé :** encastré, prisonnier.
2. **Exquise :** délicieuse.
3. **Chiffe molle :** familièrement, mollasson.

585 rendre la vie ? Ne pourrions-nous pas recommencer ? Ne pourrions-nous...

Il ne bougeait plus. Les yeux fermés, tremblant, il attendait. Il entendit le souffle lourd de Travis à travers la pièce, il l'entendit prendre la carabine, lever le cran d'arrêt, épau-590 ler l'arme.

Il y eut un coup de tonnerre.

Ils avaient la peau brune et les yeux dorés[1]

Le métal de la fusée refroidissait aux vents de la plaine. Son couvercle sauta comme un bouchon de champagne. De son intérieur hermétique sortirent un homme, une femme, puis trois enfants. Les autres passagers s'éloignèrent en devisant[2] à travers la plaine
5   de Mars, laissant l'homme avec sa famille un peu en arrière.

L'homme sentit ses cheveux se dresser sur sa tête, ses chairs se contracter. Il lui semblait être au milieu du vide. Sa femme, qui marchait devant, paraissait prête à s'envoler à chaque pas, telle une spirale de fumée. Ses enfants, plus légers, pouvaient,
10   comme des graines, être à tous moments dispersés sur l'immensité martienne.

Les enfants se tournèrent vers lui. Il lut dans leurs yeux une angoisse. Ils le regardaient comme on regarde le soleil pour savoir à quelle heure de sa vie on en est. Son visage resta fermé.
15   — Qu'est-ce qui ne va pas ? demanda sa femme.

— Retournons à la fusée.

— Tu veux dire à la Terre ?

— Oui. Écoutez...

Le vent soufflait avec une violence telle qu'on eût dit qu'il
20   voulait les briser. Tôt ou tard, l'air de Mars lui ôterait son âme comme on extrait la moelle d'un os cuit. Il se sentait plongé dans

---

1. **Ils avaient la peau brune et les yeux dorés :** le titre original de cette nouvelle est *Dark they were and golden eyes*. Elle est ici traduite de l'anglais par Jacqueline Hardy. Extrait de *Un remède à la mélancolie*.
2. **En devisant :** en conversant.

un acide capable de dissoudre sa personnalité et d'abolir[1] en lui le souvenir de son passé.

Ils levèrent les yeux vers les montagnes de Mars si vieillies, si usées par l'érosion et le laminage des ans[2]. Ils vinrent les antiques cités abandonnées, éparpillées tels des ossements d'enfants, sur les étendues ondulantes d'herbe rase.

— Courage ! Harry ! dit sa femme. Il est trop tard. Nous avons fait plus de soixante millions de kilomètres pour arriver ici.

Les enfants aux cheveux jaunes poussaient des cris aigus vers le ciel étranger. Mais seul, leur répondait le sifflement du vent qui soufflait sur l'herbe drue[3].

Il prit la valise dans ses mains glacées.

— Allons-y, dit-il sur le ton d'un homme qui quitte le rivage et s'apprête à marcher dans la mer jusqu'à ce qu'il perde pied et s'engloutisse dans les flots.

Ils entrèrent dans la ville.

Ils s'appelaient Bittering. Harry Bittering, sa femme Cora, Dan, Laura et David. Ils construisirent de leurs mains un petit chalet tout blanc et y prirent d'excellents petits déjeuners en famille. Leur peur, cependant, ne les quittait pas. Elle était toujours là entre Mr et Mrs Bittering, lorsqu'ils bavardaient avant de s'endormir, comme, chaque matin, lorsqu'ils se réveillaient.

— J'ai l'impression d'être un cristal de sel[4] roulé par les eaux d'un torrent de montagne qui l'entraîne et le dissout. Nous ne sommes pas d'ici. Nous sommes des Terriens. Ici, c'est Mars,

---

1. **Abolir :** supprimer.
2. **Le laminage des ans :** la dégradation, l'usure provoquée par les années.
3. **Drue :** épaisse.
4. **Un cristal de sel :** un grain de sel de forme géométrique.

une planète créée pour les Martiens. Je t'en prie, Cora, pour l'amour de Dieu, prenons nos billets de retour !

50   Mais elle se contentait de secouer la tête.

— Un de ces quatre matins, avec la bombe atomique, notre bonne vieille Terre aura son compte. Ici, nous serons sauvés.

— Sauvés, mais timbrés[1] !

55   *Tic-tac-teur, il est sept heures !* chantonna le réveille-matin. *L'heure de se lever !*

Ce qu'ils firent.

Chaque matin, son premier travail était de tout vérifier : la tiédeur de l'âtre[2], l'aspect des géraniums rouges en pot, exac-
60 tement comme s'il s'attendait à ce que quelque chose clochât. Le journal arrivait, l'encre encore humide, par la fusée ter-restre de 6 heures. Il déchirait la bande[3] et le posait devant lui à la table du petit déjeuner. Il se forçait à commenter les nouvelles sur un ton joyeux.

65   — Nous voici revenus au bon vieux temps des colonies[4]. D'ici dix ans, il paraît qu'il y aura sur Mars un million de Terriens ! On va construire des grandes villes, et on aura tout comme sur la Terre ! On dit aussi que nous pourrions échouer, que les Martiens seraient froissés[5] par notre inva-
70 sion. En avons-nous seulement vu, des Martiens ? Pas la queue d'un ! Nous avons vu leurs villes, mais elles étaient désertes ! C'est vrai, non ?

---

1. **Timbrés :** fous.
2. **L'âtre :** la cheminée.
3. **Bande :** bande de papier mentionnant l'adresse et maintenant le journal plié.
4. **Colonies :** territoires occupés et gouvernés par des pays étrangers.
5. **Froissés :** vexés.

Une rafale de vent submergea la maison. Quand les carreaux cessèrent de vibrer, Mr Bittering avala sa salive et se
75 tourna d'un air interrogateur vers ses enfants.

— Moi, dit David, je crois qu'il y a des Martiens autour de nous, que nous ne voyons pas. Parfois, la nuit, il me semble les entendre. J'écoute le bruit du vent, le bruit du sable qui frappe contre les carreaux et j'ai peur. Je revois ces villes accrochées
80 aux flancs des montagnes où les Martiens vivaient il y a très longtemps. Tu sais, papa, il me semble qu'il y a des êtres qui bougent dans ces villes. Je me demande si les Martiens savent que nous sommes là, je me demande s'ils ne vont pas nous faire du mal pour être venus chez eux...

85 — Tu dis des bêtises ! Nous sommes corrects, nous sommes convenables...

Mr Bittering regardait au loin par la fenêtre, puis il revint à ses enfants.

— Toutes les villes mortes sont habitées par des fantômes,
90 je veux dire, par des souvenirs.

Il contempla de nouveau les montagnes.

— Il est normal qu'en voyant un escalier vous vous demandiez comment étaient faits les Martiens qui l'utilisaient, qu'en voyant leurs fresques[1], vous vous demandiez à quoi
95 ressemblaient les peintres qui les ont faites. Vous créez vous-même un fantôme, vous donnez forme à un souvenir. Mais tout cela ne relève que de votre propre imagination. Dis-moi, tu n'aurais pas été rôder dans les ruines, par hasard ?

— Non, papa.
100 David fixait la pointe de ses chaussures.

— Avise-toi de ne jamais y mettre les pieds ! (Et, sur un

---

1. **Fresques** : peintures murales.

autre ton :) Veux-tu me passer la confiture, s'il te plaît ?

— Et pourtant, dit le petit David, quelque chose va arriver.

105 Cette prédiction se vérifia l'après-midi même.

Laura, aveuglée par les larmes, traversa en courant la petite colonie. Elle se précipita dans le vestibule[1].

— Mère ! Père ! La Terre ! (Et, dans un flot de paroles entrecoupées de sanglots :) La guerre ! Un câble radio[2] vient
110 d'arriver. Des bombes atomiques sur New York ! Toutes les fusées spatiales anéanties ! Plus de fusées pour Mars ! Jamais plus !

— Mon Dieu ! Harry !

La mère se raccrocha à son mari et à sa fille.

115 — Tu es bien sûre de ce que tu dis, Laura ? interrogea le père d'une voix calme.

— Oui, oui... (Laura pleurait à fendre l'âme.) Nous sommes abandonnés sur Mars ! Pour toujours, toujours !

Longtemps, seul le gémissement du vent troubla le silence
120 de cette fin d'après-midi.

Nous sommes abandonnés, se répétait Bittering. Nous sommes à peine un millier ici, livrés à nous-mêmes, sans possibilité de retour, sans possibilité... Sans possibilité... La sueur perlait[3] à son front, mouillait ses paumes. Son corps tout entier
125 était baigné de sueur. Il trempait dans sa peur. Il aurait voulu battre sa fille, lui crier qu'elle n'était qu'une sale petite menteuse, que les fusées allaient revenir. Au lieu de cela, il pressait la tête de Laura contre son flanc[4] et lui disait :

---

1. **Vestibule :** entrée d'une maison ou d'un appartement.
2. **Un câble radio :** une liaison effectuée par radio.
3. **Perlait :** suintait sous forme de gouttes rondes comme des perles.
4. **Son flanc :** sa poitrine.

— Ma petite fille, les fusées réussiront à revenir un jour.

130 — Père, qu'allons-nous faire ?

— Continuer comme par le passé à cultiver des céréales, à élever nos enfants. Avoir de la patience. Maintenir les choses en état jusqu'à ce que la guerre se termine et que les fusées reviennent.

135 Ses deux fils sortirent sur la véranda.

— Garçons, leur dit-il, en regardant par-dessus leurs têtes, j'ai une nouvelle à vous apprendre.

— Nous savons.

Les jours suivants, Bittering resta de plus en plus au jardin

140 pour rester en tête à tête avec sa peur. Aussi longtemps que les fusées avaient tissé leurs fils argentés[1] à travers l'espace, il avait pu accepter Mars, car il se répétait : « Demain, si je veux, je prends mon billet et je retourne sur la Terre. »

Mais, à présent... Plus de fils argentés... Les fusées deve-

145 nues des tas de ferrailles fondues, de fer laminé[2], gisaient, écrabouillées au sol. Les Terriens étaient livrés à Mars, à ses poussières cannelle[3], à ses vents lie-de-vin[4], pour être cuits au four de ses étés et conservés dans la glace de ses hivers. Qu'allait-il leur arriver, à lui et à ses compagnons ? Le

150 moment attendu par Mars était venu. Désormais rien ne l'empêcherait de les absorber.

Il s'agenouilla dans un massif de fleurs, une petite bêche

---

1. **Fils argentés :** traces blanc-argent que les moteurs laissent derrière eux.

2. **Laminé :** déformé et usé.

3. **Cannelle :** de la couleur de la cannelle (brun clair).

4. **Vents lie-de-vin :** vents poussant des nuages couleur lie-de-vin (rouge violacé).

dans ses mains fébriles. Travaille, se disait-il, travaille pour oublier...

155   Il leva les yeux vers les montagnes de Mars. Il pensait aux noms pleins de fierté qui leur avaient jadis été dévolus[1]. Au cours de leur descente sur Mars, les Terriens avaient eu le loisir de contempler les montagnes, les rivières et les mers, qui n'avaient plus de nom. Jadis les Martiens avaient bâti ces

160 villes, et ils leur avaient donné des noms. Ils avaient gravi ces montagnes, et ils leur avaient donné des noms... Ils avaient navigué sur ces mers, et ils leur avaient donné des noms... Les montagnes s'étaient érodées[2], les mers asséchées, les villes effondrées. Et cependant, les Terriens se sentaient

165 coupables en leur for intérieur[3] de donner de nouvelles appellations à ces montagnes et à ces vallées.

   Pourtant, les caractérisations et les classifications sont nécessaires à l'homme. Et elles avaient reçu de nouveaux noms.

170   Mr Bittering éprouvait dans son jardin une pénible impression de solitude. Occupé à planter dans un sol étranger, sous un soleil martien des plantes terrestres, il se sentait un anachronisme[4] vivant.

   « Pense... Oblige-toi à penser. Pense à n'importe quoi. Mais

175 chasse de ton esprit la Terre, la guerre atomique et les fusées détruites. »

   Il transpirait. Il regarda tout autour de lui. Personne ne l'observait. Il défit sa cravate. « Eh bien ! se dit-il. Tu ne manques

---

1. **Dévolus :** attribués.
2. **Érodées :** usées.
3. **En leur for intérieur :** au plus profond de leur conscience.
4. **Anachronisme :** confusion des dates, des époques ou, comme ici, des lieux.

pas de souffle ! Tu commences par ôter ta veste, ensuite tu ôtes
180 ta cravate... » Il alla la suspendre soigneusement à un pêcher
qu'il avait fait venir du Massachusetts.

Et il recommença à philosopher sur les noms des montagnes.
Donc, les Terriens avaient changé les noms.

On disait à présent la vallée Hormel[1], la mer Roosevelt[2], le mont
185 Ford[3], le plateau Vanderbilt[4], la rivière Rockefeller[5]. Et l'on avait
tort. Les colons américains avaient montré plus de sagesse en re-
prenant les vieux noms indiens de la Prairie, tels que Wisconsin,
Minnesota, Idaho, Ohio, Utah[6], Milwaukee[7], Waukegan[8], Osseo[9].
Ces vieux noms avaient une signification.

190 Les yeux fixés sur les montagnes comme s'il les regardait
pour la première fois, il se demandait : « Martiens, vous
seriez-vous réfugiés là ? Êtes-vous vraiment tous morts ?
Qu'attendez-vous ? Nous voici, abandonnés à nous-mêmes,
coupés de notre base... Qu'attendez-vous pour descendre
195 de vos montagnes et nous chasser ? Je vous dis que nous
sommes sans défense... »

---

1. **Hormel :** célèbre maison de produits alimentaires, fondée en 1891 par
G. A. Hormel.
2. **Roosevelt :** Franklin Delano Roosevelt (1882-1945), président des
États-Unis de 1932 à sa mort.
3. **Ford :** Henry Ford (1863-1947), pionnier de l'industrie automobile
américaine et de la fabrication des voitures à la chaîne.
4. **Vanderbilt :** nom d'une célèbre famille américaine, dont l'ancêtre, Cor-
nelius Vanderbilt (1794-1877) fit fortune dans le commerce maritime et la
construction des chemins de fer.
5. **Rockefeller :** John Davison Rockefeller (1839-1937), industriel et finan-
cier américain, fondateur d'une dynastie de banquiers.
6. **Wisconsin, Minnesota, Idaho, Ohio, Utah :** noms d'États américains.
7. **Milwaukee :** ville du Wisconsin.
8. **Waukegan :** ville de l'Illinois (où est né Bradbury).
9. **Osseo :** nom d'une ville de l'État du Minnesota.

Un coup de vent fit tomber une pluie de fleurs de pêcher. Il tendit sa main bronzée et poussa un léger cri. Il ramassa les fleurs, les toucha, les tourna et les retourna dans tous les
200 sens puis il appela sa femme :

— Cora !

Elle apparut à une fenêtre. Il courut vers la maison.

— Cora ! Regarde les fleurs !

Elle les prit dans ses mains.

205 — Est-ce que tu remarques le changement ? Elles sont différentes. Ce ne sont plus tout à fait des fleurs de pêchers...

— Elles m'ont l'air tout à fait normales.

— Elles ne sont *pas vraies*. Je ne peux pas te dire en quoi exactement. Peut-être est-ce un pétale de plus, peut-être est-
210 ce la couleur, le parfum ?

Les enfants arrivèrent juste au moment où leur père s'affairait à déterrer tous les radis, les oignons et les carottes.

— Cora ! Viens voir !

Ils se tendaient mutuellement les oignons, les radis et les
215 carottes.

— D'après toi, est-ce qu'elles ont tout à fait l'air de carottes ?

— Oui... Non... Je ne sais pas.

— Elles sont différentes.

— Peut-être...

220 — Tu sais bien que si ! Ce sont des oignons qui ne sont pas tout à fait des oignons, des carottes qui ne sont pas tout à fait des carottes. Leur goût est le même mais pas exactement. L'odeur n'est pas tout à fait leur odeur habituelle.

Son cœur se mit à battre très vite, il avait soudain très peur.
225 Il plongea les doigts dans la terre meuble[1].

---

1. **Meuble :** qui se fragmente, se retourne facilement.

— Cora ! Mais qu'est-ce qui se passe ? Il ne faut plus y toucher, tu m'entends ? (Il se mit à courir à travers le jardin en touchant chaque arbre au passage.) Les roses ! Mais regarde donc les roses ! Elles deviennent vertes !

230 Et ils observèrent le changement de coloris des roses.

Deux jours après, Dan arriva au pas de course.

— Venez tous voir la vache ! J'étais en train de la traire et tout d'un coup...

Ils se réunirent dans l'étable devant leur unique vache.

235 Une troisième corne lui poussait au front.

Puis ce fut la pelouse devant la maison qui insensiblement vira au violet. Les graines ne donnaient plus naissance à des pousses vertes, mais d'un beau pourpre violacé[1].

— Il ne faut plus y toucher, dit Bittering. Si nous mangeons
240 de ces trucs-là, nous nous transformerons à notre tour et qui sait jusqu'où cela nous conduira ? Je ne le permettrai pas. Il n'y a qu'une chose à faire : brûler cette nourriture.

— Mais elle n'est pas empoisonnée !

— Si, mais de façon subtile. Un tout petit peu seulement.
245 J'interdis qu'on y touche.

Il regarda leur maison d'un air dégoûté.

— Même le chalet a changé. Le vent a attaqué ce chalet. L'air l'a brûlé. Le brouillard, la nuit l'ont détérioré. Les planches se sont gondolées[2]. Ce n'est plus tout à fait une maison
250 de Terriens.

— Quelle imagination tu as !

Il enfila son veston et remit sa cravate.

— Je sors. Il faut agir et sans tarder. Je reviens tout de suite.

_____

1. **Pourpre violacé :** rouge tirant sur le violet.
2. **Gondolées :** déformées, sous l'effet de la chaleur ou de l'humidité.

— Harry ! Attends une seconde ! cria sa femme.

255 Mais il était déjà parti.

Sur les marches du magasin d'alimentation générale, les hommes étaient assis à l'ombre, les mains sur les genoux, bavardant avec un plaisir manifeste.

Mr Bittering aurait voulu tirer un coup de pistolet en l'air

260 pour les sortir de leur indifférence.

« Mais qu'est-ce que vous faites là, bougres d'idiots, se disait-il, à rester assis à ne rien faire. Vous avez pourtant entendu les nouvelles. Nous sommes échoués sur cette planète hostile. Allons, remuez-vous ! Ne ressentez-vous aucune

265 peur, aucune inquiétude ? Vous avez bien un plan, non ? »

— Salut ! Harry, dit quelqu'un.

— Dites-moi, vous avez bien entendu les nouvelles, l'autre jour ?

Ils opinèrent de la tête[1] et se mirent à rire.

270 — Bien sûr, Harry.

— Alors ? Qu'est-ce que vous faites ?

— Mais, Harry, qu'est-ce que nous *pouvons* faire ?

— Vous pouvez construire une fusée, parbleu !

— Une fusée ? Pour retourner vers tous ces ennuis ? Oh,

275 tu n'y penses pas, Harry !

— Mais il *faut* nous apprêter à repartir. Avez-vous remarqué le changement dans les fleurs de pêchers, dans les oignons, dans l'herbe ?

— Oui, il me semble que oui, Harry, dit l'un.

280 — Et vous n'avez pas peur ?

— On ne peut pas dire que cela nous dérange beaucoup, Harry.

---

1. **Ils opinèrent de la tête :** ils approuvèrent d'un signe de tête.

— Imbéciles !

— Mais, Harry !

285 Bittering avait soudain envie de pleurer.

— Écoutez ! Il faut absolument que vous m'aidiez. Si nous restons ici, nous changerons tous. L'air... Vous ne sentez pas l'air ? Vous ne trouvez pas qu'il a une odeur bizarre ? Un virus martien, sans doute. Une graine ou un pollen. Écoutez-290 moi !

Ils le regardaient, éberlués[1].

— Sam ! dit-il en s'adressant à l'un d'eux.

— Oui, Harry ?

— Veux-tu m'aider à construire une fusée ?

295 — Écoute, Harry. J'ai tout un stock de métal et des plans. Si tu veux travailler chez moi, tu n'as qu'à venir. Je te vends le métal cinq cents dollars. Tu as de quoi te construire une jolie fusée qui marchera à la perfection. Mais si tu y travailles tout seul, il te faudra environ trente ans pour la terminer.

300 Tous s'esclaffèrent[2].

— Assez !

Sam, nullement fâché, leva sur lui des yeux pétillants de malice.

— Sam ! Tes yeux...

305 — Qu'est-ce qu'ils ont mes yeux ? Harry ?

— N'étaient-ils pas gris ordinairement ?

— Tu sais, pour savoir exactement...

— Mais si ! Ils étaient gris, n'est-ce pas ?

— Et après ? Pourquoi me poses-tu cette question, 310 Harry ?

---

1. **Éberlués :** stupéfaits.
2. **S'esclaffèrent :** éclatèrent de rire.

— Parce qu'à présent ils sont jaunâtres.

— Tiens, c'est curieux, dit Sam sans s'émouvoir outre mesure[1].

— Et tu as aussi grandi et minci.

315 — Ça se pourrait, Harry.

— Sam ! Tu ne devrais pas avoir les yeux jaunes !

— Et toi, Harry ! Quelle est la couleur de tes yeux ?

— Moi ! Ils sont bleus, bien sûr.

— Eh bien, regarde, Harry ! (Sam tendait un miroir de
320 poche.) Constate par toi-même !

Après une brève hésitation, Mr Bittering leva le miroir à la hauteur de son visage.

De minuscules paillettes d'or émaillaient[2] le bleu de ses prunelles.

325 — Regarde ton œuvre, dit Sam, quelques instants plus tard. Tu as brisé mon miroir !

Harry Bittering entra dans l'atelier de serrurerie et se mit en devoir de construire sa fusée. Devant la porte grande ouverte, les hommes devisaient[3] et plaisantaient sans toutefois oser
330 élever la voix pour ne pas le déranger dans son travail. De temps à autre, ils lui donnaient la main pour soulever quelque pièce trop lourde. Mais la plupart du temps ils se contentaient paresseusement de le regarder faire de leurs yeux dont la couleur jaune se précisait de plus en plus.

335 — C'est l'heure de ton déjeuner, Harry ! lui dirent-ils.

Sa femme venait d'apparaître avec son repas dans un panier.

---

1. **Outre mesure :** excessivement.
2. **Émaillaient :** parsemaient.
3. **Devisaient :** conversaient.

— Je n'y toucherai pas, dit-il. Je ne veux que des aliments congelés de notre réfrigérateur, des aliments venus de la Terre, et rien qui ait poussé dans notre jardin.

340 Sa femme resta un moment à l'observer.

— Tu n'y arriveras pas !

— J'ai travaillé chez un serrurier quand j'avais vingt ans. Je m'y connais. Il suffit que je commence et les autres viendront m'aider, lui répondit-il sans tourner la tête, tout à ses plans.

345 — Harry ! Ô Harry ! dit-elle d'une voix plaintive.

— Comprends-moi, Cora ! Il faut que nous partions d'ici, il le *faut*, tu m'entends ?

Toutes les nuits le vent ne cessait de souffler sur les étendues marines qu'aucun clair de lune ne baignait jamais, au-delà des

350 cités blanches disposées depuis douze mille ans comme des pions sur un gigantesque échiquier. Dans la petite colonie des Terriens, le chalet des Bittering était secoué de façon étrange.

Mr Bittering avait le sentiment que ses os changeaient de

355 place, changeaient de forme, devenaient de l'or fondu. Sa femme, couchée à côté de lui, était bronzée par tous ces après-midi de soleil. Elle avait les yeux dorés et la peau très brune, presque marron. Elle dormait, comme les enfants à la peau couleur de métal dormaient dans leurs petits lits, et l'on en-

360 tendait le vent hurler désespérément, poursuivant son œuvre destructrice sur les vieux pêchers, l'herbe violette et les roses dont il faisait tomber les verts pétales.

Jamais il ne pourrait se libérer de sa peur. Elle lui serrait la gorge, elle lui broyait le cœur. Elle mouillait son bras, sa

365 tempe, sa paume tremblante.

À l'est une étoile verte se leva.

Un mot aux consonances étranges monta aux lèvres de Mr Bittering.

— *Iorrt ! Iorrt !*

370   C'était un mot martien. Or, il ne connaissait pas de Martien.

Au milieu de la nuit, il sauta du lit et fit le numéro de téléphone de Simpson, l'archéologue.

— Simpson ! Que signifie le mot *Iorrt* ?

375   — C'est l'ancien mot martien pour désigner notre planète, la Terre. Pourquoi cette question ?

— Pour rien.

L'appareil lui échappa des mains.

— Hé ! demanda-t-il en contemplant intensément l'étoile 380 verte au firmament, hé ! Bittering ! Harry ! Es-tu là ?

Ses journées retentissaient du fracas du métal qu'il travaillait. Ce jour-là il ajusta la carcasse de la fusée, aidé sans grand enthousiasme par trois de ses camarades. Au bout d'une heure il se sentit soudain très las et il lui fallut s'asseoir.

385   — C'est l'altitude, ricana l'un de ses assistants.

— Te nourris-tu suffisamment, Harry ? demanda l'autre.

— Évidemment, répliqua-t-il, furieux.

— Toujours avec les provisions de ton réfrigérateur ?

— Oui...

390   — Tu as minci, Harry.

— Et on dirait que tu grandis.

— Tu mens !

Quelques jours plus tard, sa femme le prit à part et lui dit :

— Harry, j'ai fini tous les aliments congelés. Le réfrigéra-395 teur est vide. Il faut pour mes sandwichs que je prenne ce qui pousse sur Mars.

Il s'assit, accablé.

— Harry, il faut que tu manges ! Vois, tu n'as pas de forces !

400 — C'est vrai.

Il prit un sandwich qu'elle lui tendait et se mit à le grignoter sans entrain.

— Donne-toi congé pour l'après-midi. Il fait très chaud. Les enfants voudraient aller se promener et se baigner dans 405 les canaux.

— Je n'ai pas de temps à perdre. Nous arrivons à un moment critique.

— Une heure seulement ! Je t'assure qu'un bain te fera du bien.

410 Il se leva. Il était en sueur.

— Bon, bon, je viens. Laisse-moi !

— Le plus grand bien, Harry !

Le soleil était brûlant, la journée sans un souffle de vent, la campagne une véritable fournaise. Ils longeaient la rive du 415 canal, le père, la mère et les enfants, tous en maillot de bain. Les enfants jouaient à se poursuivre. Ils s'arrêtèrent et mangèrent des sandwichs au jambon. Il remarqua que leur carnation[1] était de plus en plus foncée et fut frappé par la couleur jaune des yeux de sa femme et de ses enfants. Il fut pris 420 de tremblements, mais sous les ondes de chaleur qui l'envahirent lorsqu'il s'étendit au soleil, ceux-ci ne tardèrent pas à cesser.

Il se sentait trop fatigué pour avoir peur.

— Cora, depuis quand tes yeux sont-ils jaunes ?

425 — Depuis toujours, je pense.

---

1. **Carnation** : couleur, teint de la peau.

— Ils n'ont pas éclairci ces derniers mois ?

Elle réfléchit en se mordant les lèvres.

— Non. Pourquoi me demandes-tu cela ?

— Pour rien...

430 Ils s'étaient assis.

— Les yeux des enfants... Ils sont jaunes, eux aussi !

— Quelquefois, en grandissant, les enfants ont la couleur de leurs yeux qui change.

— Alors nous sommes peut-être des enfants. Du moins au
435 regard de Mars. C'est une idée à creuser... (Il se mit à rire.) Je crois que je vais me baigner.

Ils plongèrent dans l'eau du canal.

Il se laissa couler à pic, telle une statue d'or, et se coucha sur le fond dans le silence vert de l'eau. Autour de lui, tout n'était
440 que calme et profondeur, tout n'était que paix. Lentement, il dérivait au fil du courant...

« Si je demeure suffisamment longtemps, se disait-il, l'eau attaquera, rongera petit à petit ma chair jusqu'à ce que mes os ressemblent à des coraux. Il ne restera de moi que mon
445 squelette. Alors, à partir de ce squelette l'eau recréera des formes nouvelles, des formes vertes, des formes que l'on ne trouve que dans les grands fonds, des formes rouges, des formes jaunes... Une transformation s'opérera, une transformation lente, totale, silencieuse. N'est-ce pas d'ailleurs
450 ce qui est en train de se passer ici ? »

Il voyait le ciel par transparence au-dessus de sa tête et le soleil que l'atmosphère, le temps et l'espace rendaient martien.

« Au-dessus de moi, disait-il, coule un grand fleuve, un
455 fleuve martien et nous sommes tous couchés dans son lit, dans nos maisons de galets, dans nos maisons englouties,

cachés dans nos repaires telles des écrevisses, et son eau dissout nos corps, délite[1] nos os si bien que... »

D'un coup de rein, il remonta à la surface et traversa la
460 lumière glauque[2].

Dan, assis sur le bord du canal, regardait son père, le visage grave.

— *Utha*, dit-il.

— Quoi ?

465 Le garçon expliqua en souriant :

— Tu sais bien que Utha est le terme martien pour dire « père ».

— Où as-tu appris cela ?

— Je l'ignore. Quelque part, sans doute. *Utha !*

470 — Qu'est-ce que tu me veux ?

— Je voudrais changer de prénom.

— Changer ton prénom ?

— Oui.

Sa mère s'approcha à la nage.

475 — Ton prénom ne te plaît plus ?

Dan s'agita.

— L'autre jour, tu criais à tous les échos, Dan, Dan, Dan... Je ne t'écoutais même pas. Je me disais : ce n'est pas ainsi que je m'appelle, j'ai un nouveau nom dont j'entends[3] qu'on
480 se serve.

Mr Bittering, accroché au rebord du canal, sentit le froid l'envahir. Son cœur battait à grands coups espacés.

— Et quel est ce nouveau nom ?

---

1. **Délite :** désagrège.
2. **Glauque :** verdâtre.
3. **J'entends :** je souhaite.

— *Linnl*. N'est-ce pas beau ? Est-ce que je peux être appelé
485 comme ça, dis-moi, tu n'y vois pas d'inconvénient ?

Mr Bittering porta la main à son front. Il pensait à cette
fusée rudimentaire, à son labeur solitaire, à sa solitude jusqu'au
sein même de sa propre famille, à sa terrible solitude.

Il entendit sa femme demander :
490 — Pourquoi pas, en effet ?

Il s'entendit répondre :

— Mais oui bien sûr, si tu y tiens.

— Hourrah, s'écria le petit garçon. Ça y est ! Je m'appelle
Linnl ! Je m'appelle Linnl !
495 Et il dévala le pré en sautant comme un cabri[1] et en poussant des cris de joie.

Mr Bittering se tourna vers sa femme.

— Qu'est-ce qui nous a pris ?

— Je ne sais pas… Cela me semblait une bonne idée…
500 Ils se dirigèrent à pas lents vers les montagnes. Ils gra-
virent paresseusement les chemins pavés de mosaïque qui
côtoyaient des sources qui ne tarissaient jamais. Un filet d'eau
glacée courait tout l'été sur ces anciens chemins, si bien que
vous avanciez en pataugeant dans un ruisseau peu profond
505 et que, pendant les heures de grande chaleur, vos pieds nus
s'en trouvaient délicieusement rafraîchis.

Ils parvinrent à une petite maison de campagne martienne
d'où l'on avait une jolie vue sur la vallée. Elle était située au
sommet d'une montagne. Vestibules en marbre bleu, fresques
510 de nobles proportions, piscine l'agrémentaient. Par cette cani-
cule, elle donnait une agréable impression de fraîcheur. Les
Martiens n'avaient jamais cru aux grandes agglomérations.

---

1. **Cabri :** chevreau.

— Quel charmant endroit ! s'écria Mrs Bittering. Nous devrions déménager et venir passer l'été dans cette villa.

515 — Allons ! Viens ! dit-il. Il faut retourner. Il y a encore beaucoup à faire sur cette fusée.

Mais tout en travaillant cette nuit-là, la fraîche villa de marbre bleu l'obsédait. Au fur et à mesure que s'écoulaient les heures, la fusée diminuait d'importance à ses yeux.

520 Au fil des jours et des semaines qui suivirent, elle passa à l'arrière-plan de ses préoccupations. La fièvre du début était tombée. Quand il se rendait compte qu'il n'avait pas su la maintenir, la peur le reprenait. Mais la chaleur, l'air, les conditions dans lesquelles il travaillait lui paraissaient 525 d'excellentes excuses à son manque d'entrain.

Il entendit qu'on chuchotait à la porte de l'atelier :

— Tout le monde y part. Tu entends ?

— Ils y vont tous, c'est exact.

Bittering sortit dans la rue.

530 — Qui va où ?

Deux camions identiques, chargés d'enfants et de mobilier, passèrent en soulevant un nuage de poussière.

— Dans les villas ! répondit celui qui avait engagé la conversation.

535 — Tu sais, Harry ! J'y vais ! Et Sam aussi, n'est-ce pas Sam ?

— Oui, Harry ! Et toi, qu'est-ce que tu fais ?

— Moi, j'ai du travail.

— Du travail ! Tu termineras ta fusée cet automne, quand 540 il fera moins chaud.

Il respira profondément.

— J'ai toute ma charpente à assembler.

— À l'automne, ça ira mieux.

— Mais mon travail...

545 — Cet automne... répliquaient-ils sur un ton qui, à cause de la chaleur, manquait de conviction.

Après tout, ils le comprenaient, ils ne le décourageaient pas. Ne tenaient-ils pas le langage de la raison ?

« Cet automne, ça ira tout seul, se dit-il. J'aurai tout mon 550 temps à ce moment-là. »

« Non ! criait une voix tout au fond de lui-même, une voix qu'il se refusait à écouter, qu'il faisait taire, qu'il étouffait et qui répétait, en mourant : non, non, non ! »

— Cet automne...

555 — Viens avec nous, Harry ! s'écrièrent-ils en chœur.

— Oui, je viens.

Il lui semblait que sa chair fondait, tant l'air était brûlant.

— Oui. À l'automne, je me remettrai au travail.

— J'ai ma villa près du canal Tirra, dit quelqu'un.

560 — Tu veux dire près du canal Roosevelt ?

— Non, Tirra. C'est l'ancien nom martien.

— Mais, sur la carte...

— Laisse la carte tranquille. Maintenant, c'est Tirra qu'il s'appelle. J'ai découvert un endroit sur les monts Pillan qui...

565 — Tu veux parler de la chaîne Roosevelt ? intervint à nouveau Bittering.

— Je parle des monts Pillan, dit Sam d'un ton sans réplique.

— Bon, admit Bittering à moitié suffoqué par les tourbillons d'air chaud. Va pour les monts Pillan !...

570 Le lendemain après-midi, alors qu'il faisait encore plus chaud que de coutume, tout le monde mit la main au chargement du camion. Laura, Dan et David apportaient des paquets, ou, comme ils préféraient qu'on les nommât, Ttil, Linnl et Werr apportaient des paquets.

575   On décida de laisser en place le mobilier du petit chalet blanc.

— Il va bien pour Boston[1], dit la mère. Et, à la rigueur, ici, dans ce chalet. Mais dans notre villa de montagne, pas du tout. Nous le retrouverons cet automne, au retour.

580   Même Bittering avait l'esprit en paix.

— J'ai des idées pour meubler la villa, dit-il au bout d'un moment. Il ne faudrait que peu de meubles, mais de gros meubles, cossus[2].

— Et ton encyclopédie ? Tu l'emportes, naturellement ?

585   Mr Bittering répondit, le regard lointain :

— Je reviendrai la chercher la semaine prochaine.

Ils se tournèrent vers leur fille.

— Tu ne prends pas tes robes de New York ?

Troublée, la petite fille leva les yeux.

590   — Pourquoi ? Je ne veux plus les mettre.

Ils coupèrent le gaz, l'eau, fermèrent leur porte à clef et s'en allèrent. Le père jeta un coup d'œil à l'intérieur du camion.

— Diable, mais nous n'avons guère de bagages ! En comparaison avec ce que nous avons emporté sur Mars, ce n'est

595 presque rien.

Il mit le moteur en marche. Son regard s'attarda un long moment sur le petit chalet blanc et une envie soudaine le prit de courir vers lui, de le toucher, de lui faire ses adieux. Il savait obscurément qu'il partait pour un long voyage en

600 laissant derrière lui quelque chose qu'il ne retrouverait pas tout à fait, qu'il ne comprendrait jamais plus.

C'est alors que Sam et les siens le dépassèrent.

———————

1. **Boston :** capitale de l'État du Massachusetts.
2. **Cossus :** qui affichent une certaine richesse.

— Hello ! Bittering. Nous partons !

Le camion suivit cahin-caha[1] l'ancien chemin qui menait hors de la ville. Six autres camions avaient pris la même direction. Leur passage recouvrait la ville d'un linceul[2] de poussière. L'eau du canal était bleue, le soleil brillait et un vent léger agitait les branches des arbres.

— Adieu, ville ! s'écria Mr Bittering.

— Adieu ! Adieu ! s'écria la famille en agitant la main.

Ils ne jetèrent plus un seul regard en arrière.

L'été fut si chaud qu'il asséchait les canaux. L'été dansait comme une flamme sur la plaine. Dans la petite colonie des Terriens, à présent vidée de la totalité de ses habitants, la peinture des maisons s'écaillait, pelait sous l'effet de la chaleur intense. Les pneus de caoutchouc qui avaient servi à confectionner dans les cours des balançoires pour les enfants pendaient, tels des pendules[3], dans l'air embrasé[4].

À l'intérieur de l'atelier, la charpente métallique de la fusée commença à rouiller.

L'automne était déjà très avancé. Mr Bittering, la peau à présent très foncée, les yeux dorés, contemplait la vallée du haut de la petite crête qui dominait sa villa.

— C'est le moment de repartir, dit Cora.

— Oui. Mais nous ne repartons pas, dit-il très tranquillement. Nous n'avons plus rien là-bas.

Elle lui rappela ses livres, ses costumes :

---

1. **Cahin-caha :** tant bien que mal, péniblement.
2. **Linceul :** ici, voile ; le linceul est le drap dans lequel on ensevelissait les morts.
3. **Pendules :** objets légers suspendus à un fil tendu.
4. **Embrasé :** brûlant comme de la braise.

— Tes *Illes*, dit-elle. Tes *ior uele rre...*

— La ville est déserte. Personne n'y retourne. Je ne vois
630 d'ailleurs aucune raison, absolument aucune raison d'y
retourner.

La petite fille tissait, les garçons jouaient des mélodies sur
d'anciennes flûtes et d'anciens pipeaux. Leurs rires réson-
naient dans la villa aux murs de marbre.

635 Mr Bittering considérait la petite colonie créée par les
gens de la Terre...

— Ils ne savent pas en construire d'autres, dit sa femme
d'un air détaché. Qu'ils sont laids, ces gens ! Moi, je suis heu-
reuse qu'ils soient repartis !

640 Tous deux se regardèrent, stupéfaits par les paroles qu'ils
venaient de prononcer. Ils se mirent à rire.

— Et où sont-ils partis ?

Il se posait la question autant à lui-même qu'à sa femme.
Il lui jeta un coup d'œil. Elle était dorée et aussi mince que
645 sa propre fille. Elle le regarda. Il paraissait presque aussi jeune que leur fils aîné.

— Je ne sais pas, dit-elle.

— Nous retournerons en ville l'année prochaine ou dans
deux ans ou dans trois, dit-il négligemment. J'ai chaud. Si
650 nous allions nous baigner ?

Ils tournèrent le dos à la vallée et, bras dessus bras des-
sous, sans se parler, empruntèrent le chemin recouvert d'un
filet d'eau fraîche, constamment renouvelé, qui menait vers
un canal.

655 Cinq ans plus tard, une fusée tomba du ciel. Elle se posa, toute
fumante, dans la vallée. Des hommes en bondirent en criant :

— Nous avons gagné la guerre ! Nous sommes venus vous
délivrer ! Ohé ! Où êtes-vous ?

Mais la petite colonie américaine aux chalets de bois, aux
660 pêchers et aux salles de réunions resta silencieuse.

Ils découvrirent une minable charpente de fusée qui se
rouillait dans un coin.

Alors les hommes venus de la Terre se mirent à battre la
campagne d'alentour[1]. Le capitaine avait établi son quartier
665 général dans un bar abandonné. Son lieutenant se présenta
au rapport.

— Mon capitaine, la ville est entièrement vide, mais
nous avons trouvé des autochtones[2] dans les montagnes.
Ils ont la peau sombre et les yeux jaunes. Ces Martiens
670 nous ont paru très amicaux. Nous avons pu leur parler.
Pas beaucoup. Mais ils apprennent facilement l'anglais.
Je suis sûr que nous pourrons entretenir avec eux d'excellentes relations.

— La peau sombre ? répéta le capitaine d'un ton rêveur.
675 Et combien sont-ils ?

— Six à huit cents, peut-être. Ils habitent dans des ruines
de marbre. Ils sont grands, l'air bien portant. Leurs femmes
sont splendides.

— Vous ont-ils dit ce qu'étaient devenus les hommes
680 et les femmes qui avaient établi ici une colonie terrestre,
lieutenant ?

— Ils n'ont pas la moindre idée de ce qui est arrivé à
cette ville et à ces gens-là.

— Voilà qui est plutôt curieux ! À votre avis, lieutenant,
685 ces Martiens les auraient-ils massacrés ?

---

1. **Battre la campagne d'alentour :** parcourir la campagne des environs.
2. **Autochtones :** indigènes (que le lieutenant prend ici pour des Martiens).

— Ils ont l'air extrêmement pacifiques. Il se peut, mon capitaine, qu'une épidémie ait ravagé cette ville...

— Possible. Je présume que nous nous trouvons devant un de ces mystères à jamais insolubles, un de ces mystères
690 comme on en voit dans les livres.

Le capitaine promena son regard tout autour de la pièce, sur les vitres grises de poussière, sur les montagnes bleutées qu'on voyait se profiler sur le ciel, sur les canaux miroitant sous la lumière crue. Il écouta le murmure de la brise et fris-
695 sonna. Puis, s'étant repris, il tapota une grande carte vierge de noms qu'il avait punaisée sur la grande table.

— Eh bien, lieutenant, nous avons du travail sur les bras !

D'une voix monotone, il dicta ses ordres tandis que le
700 soleil déclinait derrière les crêtes bleues.

... Fonder de nouvelles colonies. Repérer les gisements miniers... Recenser les richesses naturelles... Prendre des échantillons de la flore microbienne... Un travail gigantesque ! Pratiquement tout est à faire. Les vieux rapports sont
705 perdus. Dresser la carte du pays, redonner un nom aux montagnes, aux rivières, etc. Tout cela nécessite de l'imagination... Que diriez-vous de baptiser ces montagnes du nom de Lincoln[1], d'appeler ce canal, canal Washington[2] ? À ces collines, nous pourrions donner votre nom, lieutenant ?
710 Simple question de tact. Et vous, en revanche, vous pourriez donner mon nom à une ville, pour me rendre la politesse ?

---

1. **Lincoln :** Abraham Lincoln (1809-1865), président des États-Unis, qui abolit l'esclavage des Noirs (1863).
2. **Washington :** George Washington (1732-1799), général et homme politique américain.

Enfin, pourquoi ne pas appeler cet endroit le val Einstein[1] et... Vous *m'écoutez*, lieutenant ?

715 Le lieutenant, le regard perdu très loin, vers les montagnes bleutées qu'enveloppait un léger brouillard, revint brusquement à la réalité.

— Comment ? Oh, mais *certainement*, mon capitaine !

---

1. **Einstein :** Albert Einstein (1879-1955), célèbre physicien allemand, naturalisé américain.

Le Cadeau[1]

Le lendemain, c'était la Noël[2] et, pendant tout le trajet jusqu'au port d'embarquement, la mère et le père avaient l'air soucieux. C'était le premier voyage interplanétaire de leur gamin, la première fois même qu'il pénétrait dans une
5 fusée, et ils tenaient à ce que tout fût parfait. Aussi, quand sur la table de la douane ils avaient été contraints de laisser son cadeau, dont le poids ne dépassait que de quelques dizaines de grammes la limite autorisée, ainsi que le petit sapin avec ses bougies blanches, ils se sentirent déçus dans leur esprit
10 de tradition et dans leur affection.

Leur fils les attendait dans la salle de départ. Tout en allant à sa rencontre, après leur altercation[3] non suivie de succès avec les employés de l'agence interplanétaire, la mère et le père s'interrogèrent à voix basse :

15 — Alors, que faisons-nous ?

— Rien... Que pourrions-nous faire, je te le demande ?

— Quels règlements stupides !

— Et il voulait tellement son arbre...

Au mugissement de la sirène, les gens s'engouffrèrent
20 dans la fusée à destination de Mars. La mère et le père, encadrant leur fils pâle d'émotion, se présentèrent les derniers au contrôle.

---

1. **Le Cadeau :** le titre original de cette nouvelle est *The gift*. Elle est ici traduite de l'anglais par Jacqueline Hardy. Extrait de *Un remède à la mélancolie*.

2. **La Noël :** la fête de Noël.

3. **Altercation :** dispute.

— Je pense tout d'un coup à quelque chose... dit le père.

— À quoi, papa ?

25 La fusée décolla et ils foncèrent, tête la première, dans l'espace noir.

La fusée se déplaçait en laissant à sa suite une traînée de feu, en laissant derrière elle la Terre, où l'on était le 24 décembre 2052. Elle se dirigeait vers un endroit de l'Univers où le Temps n'exis-
30 tait pas, où n'existaient ni mois, ni année, ni heure.

Ils passèrent le reste du 1ᵉʳ « jour » à dormir. Peu avant minuit, à leurs montres réglées sur l'heure terrestre, méridien[1] de New York, le petit garçon se réveilla et demanda :

— J'aimerais regarder par le hublot.

35 Or, il n'y avait qu'un seul hublot, une unique fenêtre d'un verre extrêmement épais mais de dimension suffisante, et il se trouvait sur le pont supérieur.

— Pas maintenant, dit le père. Je t'y conduirai un peu plus tard.

40 — Je voudrais savoir où nous sommes et voir où nous allons.

— J'ai une excellente raison pour vouloir que tu attendes encore un peu, dit le père.

Incapable de trouver le sommeil, il n'avait cessé de se tourner et de se retourner sur sa couche[2], ressassant dans sa tête
45 le problème du cadeau qu'il avait fallu laisser, de l'époque de l'année où l'on se trouvait et du petit arbre aux bougies blanches qu'il n'avait pu emporter. À la fin, il s'était assis, il y avait peut-être cinq minutes. Il tenait son plan. Qu'il le mène seulement à bonne fin et ce voyage serait en tous points réussi.

---

1. **Méridien :** cercle imaginaire passant les pôles Nord et Sud du globe terrestre. Les méridiens servent par exemple à connaître l'heure en un point précis du globe.

2. **Couche :** couchette.

50 — Mon petit, dit-il, dans une demi-heure, c'est Noël.

— Oh ! fit la mère, consternée qu'il fît allusion à ce qu'elle s'efforçait d'oublier. Elle avait espéré, sans se l'avouer clairement, que le petit garçon ne penserait plus à cette date tant attendue.

55 Le visage du petit garçon se colora, ses lèvres tremblèrent d'excitation.

— Je sais ! Je sais ! J'ai un cadeau, n'est-ce pas ? J'ai un arbre ? Tu m'avais promis que...

— Oui, oui, tu les auras, et tu auras mieux encore, dit le
60 père.

— Mais... dit la mère.

— Je suis sûr de ce que j'avance. Tu auras mieux encore... Excusez-moi un instant. Je reviens...

Il les quitta et resta absent pendant environ vingt-cinq
65 minutes. À son retour, il souriait.

— L'heure approche !

— Tu me donnes ta montre ? demanda le petit garçon.

On lui confia la montre et il tint entre ses doigts son léger tic-tac pendant que les dernières minutes avant l'heure
70 s'écoulaient lentement au milieu du feu, du silence et d'une propulsion qu'ils ne percevaient pas.

— Ça y est ! C'est Noël ! Où est mon cadeau ?

— Suivez-moi ! dit le père.

Il passa son bras sur les épaules de son fils et ils sortirent
75 de la pièce, longèrent une coursive[1] puis un couloir en pente douce qui menait à l'étage supérieur. La mère suivait.

— Je ne comprends pas, répétait-elle.

— Tu vas comprendre ! Voilà, nous y sommes !

_____
1. **Coursive :** couloir étroit.

Ils étaient devant la porte d'une vaste cabine. Le père frappa
80 trois coups, puis deux, selon un code convenu. La porte s'ouvrit.
La lumière de la cabine s'éteignit. On entendait à l'intérieur un
murmure de voix.

— Entre, petit ! dit le père.

— Il fait noir...

85 — Je te tiens la main. Viens, maman !

Dès qu'ils furent entrés, la porte se referma sur eux. La pièce
était effectivement plongée dans la plus profonde obscurité. Ils
distinguèrent juste devant eux un grand œil de verre. C'était
le hublot, la fenêtre de 1,30 m de haut et de 2 m de large, par
90 laquelle on regardait dans l'espace.

Le petit garçon, la mère et le père eurent le souffle coupé
devant le spectacle qui s'offrait à leur vue, tandis que, derrière eux, dans l'obscurité, des gens entonnaient un chant
de Noël.

95 — Joyeux Noël, mon fils ! dit le père.

La cabine résonnait des vieux chorals[1] de leur enfance. Le
petit garçon s'avança lentement jusqu'à ce que son nez touche la vitre froide du hublot. Et il resta là très, très longtemps,
à regarder dans l'espace et la nuit profonde les dix milliards
100 de milliards de petites bougies blanches qui brûlaient à l'infini, sans pouvoir s'arracher à sa contemplation.

_____

1. **Chorals :** chants religieux.

La Fusée[1]

Souvent, la nuit, Fiorello Bodoni se réveillait et écoutait les fusées passer en soupirant dans le ciel. Il se levait, certain que sa bonne épouse était plongée dans ses rêves, et il sortait sur la pointe des pieds sous les étoiles. Pour quelques instants,
5 il se délivrait ainsi des odeurs rances[2] de cuisine qui imprégnaient sa petite maison au bord de la rivière. Et durant ces instants de silence, il laissait son cœur s'élancer dans l'espace à la suite des fusées.

Cette nuit-là, il se tenait dévêtu dans l'obscurité et il ob-
10 servait les fontaines de feu qui chuchotaient dans le firmament, les fusées emportées sur leurs violentes trajectoires vers Mars, Saturne ou Vénus.

— Eh bien, eh bien, Bodoni !

Bodoni sursauta.

15 Assis sur une caisse, près de la rivière tranquille, un vieil homme regardait lui aussi les fusées dans l'air calme.

— Ah, c'est vous, Bramante !

— Est-ce que tu sors tous les soirs, Bodoni ?

— Oh, pour prendre un peu l'air.

20 — Ah oui ? Moi, je préfère regarder les fusées. J'étais enfant quand elles ont commencé à voler. Il y a de cela quatre-vingts ans et je ne suis jamais monté dedans.

— Un jour, moi, je monterai dedans.

---

1. **La Fusée :** le titre original de cette nouvelle est *The rocket*. Elle est ici traduite de l'anglais par C. Andronikof. Extrait de *L'Homme illustré*.
2. **Rances :** âcres.

— Tu es fou ! s'écria Bramante. Tu n'iras jamais. Le monde
25 est aux riches. (Il secoua sa tête grise, tout à ses souvenirs.)
Quand j'étais jeune, ils ont écrit en lettres de feu : *Le Monde
de l'Avenir ! La Science, le Confort et des Choses nouvelles pour
tous*[1] *!* Ah oui ! Quatre-vingts ans ! C'est maintenant, l'Avenir.
Est-ce que nous prenons les fusées ? Non. Nous continuons
30 à vivre dans des taudis, comme nos ancêtres.

— Mes fils, peut-être... dit Bodoni.

— Non, ni les fils de tes fils ! cria le vieil homme. C'est le
riche qui peut faire de tels rêves et monter dans les fusées.

Bodoni hésita.

35 — Vieux Bramante, j'ai mis de côté trois mille dollars.
Il m'a fallu six ans pour le faire. Je les ai économisés pour
mon entreprise, je veux les investir dans du matériel. Mais,
chaque nuit, depuis un mois, je ne dors plus. J'entends les
fusées. Je réfléchis. Et ce soir, j'ai pris une décision. L'un de
40 nous ira sur Mars !

Ses yeux étaient sombres et ils luisaient.

— Crétin ! coupa Bramante. Comment le choisiras-tu,
celui qui partira ? Lequel ira ? Si c'est toi, ta femme va te
détester, car tu auras été un petit peu plus près de Dieu dans
45 l'espace. Quand tu lui raconteras ton voyage extraordinaire,
dans les années qui vont venir, est-ce qu'elle ne sera pas dé-
vorée de jalousie ?

— Non, non.

— Mais si ! Et tes enfants ? Est-ce que cela remplira leur
50 vie, de savoir que papa a pris la fusée pour Mars tandis qu'ils

---

1. *Le Monde de l'Avenir ! La Science, le Confort et des Choses nouvelles
pour tous !* : titres de publicités.

sont restés là ? Tu vas leur imposer un de ces travail ![1] Ils rêveront à la fusée toute leur vie. Ils en perdront le sommeil. Ils en seront malades. Comme toi, actuellement. Ils perdront goût à la vie, s'ils ne partent pas. Ne leur impose pas ce but,
55 je te préviens. Qu'ils se contentent d'être pauvres ! Dirige leurs yeux sur leurs mains et sur ton chantier de ferraille, pas vers les étoiles.

— Mais...

— Et suppose que ta femme y aille ? Quel serait ton sentiment,
60 sachant qu'elle a *vu* et toi, pas ? Tu ne pourras plus la voir. Tu auras envie de la jeter à l'eau. Non, Bodoni, achète la nouvelle concasseuse[2] dont tu as besoin, et fourre tes rêves dedans.

Le vieil homme se tut, les yeux fixés sur la rivière où des images noyées[3] de fusées sillonnaient le ciel.
65 — Bonne nuit, dit Bodoni.

— Dors bien, dit l'autre.

Quand le toast sauta hors du grill-pain, Bodoni poussa presque un cri. Il avait passé une nuit sans sommeil. Parmi ses enfants nerveux, à côté de sa femme énorme, Bodoni
70 s'était tourné et retourné, les yeux perdus dans le vague. Bramante avait raison. Il valait mieux investir son argent. Pourquoi le mettre de côté, quand un seul membre de la famille pouvait prendre la fusée, tandis que les autres resteraient à se ronger[4] ?

---

1. **Tu vas leur imposer un de ces travail !** : tu vas leur imposer une grande souffrance ! (en les faisant rêver au voyage qu'ils auraient pu faire, mais qu'ils n'auront pas fait).
2. **Concasseuse** : machine servant à broyer, à écraser.
3. **Noyées** : qui se reflètent dans l'eau de la rivière.
4. **Se ronger** : s'inquiéter et se morfondre.

75 — Fiorello, mange ton toast, lui dit sa femme Maria.

— Ma gorge est desséchée, dit Bodoni.

Les enfants firent irruption dans la pièce, les trois garçons se disputant un jouet en forme de fusée ; les deux filles portant des poupées qui représentaient les habitantes de Vénus ou de
80 Neptune, vertes, avec trois yeux jaunes et douze doigts.

— J'ai vu la fusée de Vénus ! lança Paolo.

— Elle a décollé avec un de ces bruits, ouiiish ! dit Antonello.

— Taisez-vous, les enfants ! cria Bodoni, en se bouchant
85 les oreilles.

Ils le regardèrent avec des yeux ronds. Il élevait rarement la voix.

Bodoni se leva.

— Écoutez, tous ! J'ai assez d'argent pour que l'un d'entre
90 nous aille sur Mars.

Ils poussèrent des cris.

— Vous comprenez ? demanda-t-il. Un seulement. Qui ?

— Moi, moi, moi ! crièrent les enfants.

— Toi, dit Maria.
95 — Toi, lui dit Bodoni.

Et ils se turent.

Les enfants réfléchissaient.

— Que Lorenzo y aille... c'est le plus vieux.

— Non, Miriamne... c'est une fille.
100 — Pense à ce que tu pourras voir, dit Maria à son mari. (Mais l'expression de ses yeux était bizarre. Sa voix tremblait.) Les météores, comme des poissons. L'univers. La Lune. Celui qui ira doit savoir raconter. Et tu sais parler.

— Toi aussi, objecta-t-il.
105 Ils tremblaient tous.

— Tenez, décida Bodoni, sans enthousiasme. (Il arracha quelques pailles à un balai.) Nous allons tirer à la courte paille.

Il tendit son poing hérissé de brins.

— Choisissez.

110   Ils prirent une paille chacun, solennellement.

— Longue.

— Longue.

Un autre.

— Longue.

115   Tous les enfants avaient tiré. La pièce était silencieuse. Il ne restait plus que deux pailles. Bodoni sentait son cœur qui lui faisait mal.

— À toi, chuchota-t-il, Maria.

Elle tira.

120   — La courte, dit-elle.

— Ah ! soupira Lorenzo, mi-triste mi-joyeux. Maman ira.

Bodoni essaya de sourire.

— Félicitations ! Je t'achèterai ton billet aujourd'hui 125 même.

— Attends, Fiorello...

— Tu pourras partir la semaine prochaine.

Elle vit les yeux tristes des enfants fixés sur elle, avec des sourires sous leurs grands nez droits. Elle rendit lentement 130 la paille à son mari.

— Je ne peux partir pour Mars.

— Mais pourquoi pas ?

— Je vais avoir un nouveau bébé.

— Quoi ?

135   Elle détourna son regard.

— Je ne dois pas voyager dans mon état.

Il lui prit le coude.

— Est-ce que c'est vrai ?

— Il faut retirer.

140 — Pourquoi ne m'avais-tu rien dit ? insista-t-il.

— J'ai oublié.

— Maria, Maria ! (Il lui tapota la joue. Il se tourna vers les enfants.) On recommence.

Paolo tira immédiatement la courte paille.

145 — Je vais sur Mars ! (Il faisait des bonds.) Oh, merci, papa !

Les autres enfants se reculèrent.

— C'est épatant, Paolo !

Paolo ne souriait plus, en regardant ses parents, ses frè-150 res et ses sœurs.

— Je peux partir, n'est-ce pas ? demanda-t-il en hésitant.

— Oui.

— Et vous m'aimerez encore, quand je reviendrai ?

— Bien sûr.

155 Paolo considéra le précieux brin de paille, dans sa main tremblante. Il secoua la tête.

— Je n'y pensais plus. Il y a l'école. Je ne peux pas partir. Il faut tirer de nouveau.

Mais personne ne le voulait. Ils se sentaient lourds et tristes.

160 — Personne n'ira, dit Lorenzo.

— Cela vaut mieux ainsi, dit Maria.

— Bramante avait raison, dit Fiorello.

Avec son petit déjeuner comme un caillou dans son es-tomac, Bodoni travaillait dans son chantier de démolition, 165 découpant le métal, le faisant fondre, coulant des lingots.

Son matériel se démantibulait[1]. La concurrence l'avait maintenu sur le seuil coupant de la pauvreté pendant vingt ans. La matinée était bien mauvaise.

Dans l'après-midi, un homme entra dans sa cour.

170 — Hé, Bodoni ! J'ai du métal pour vous.

— Qu'est-ce que c'est, Mr Mathews ?

— Une fusée. Ça ne colle pas ? Vous n'en voulez pas ?

— Si, si !

Bodoni lui saisit le bras et s'arrêta, interdit.

175 — Évidemment, ce n'est qu'une maquette. Vous savez bien, quand ils établissent des plans pour une nouvelle fusée, ils construisent d'abord un modèle à l'échelle, en aluminium. Vous pourriez retirer un petit bénéfice si vous la faites fondre. Je vous la laisse pour deux mille...

180 Bodoni retira sa main.

— Je n'ai pas l'argent.

— Tant pis. Je pensais pouvoir vous aider. La dernière fois que nous avons bavardé, vous aviez dit que tout le monde vous battait aux enchères[2]. Je croyais vous passer le tuyau en

185 douce. Eh bien...

— J'ai besoin de nouveau matériel. J'ai économisé de l'argent pour cela.

— Oh, je comprends.

— Si j'achetais votre fusée, je ne pourrais même pas la faire fondre. Mon four à aluminium s'est fendu la semaine dernière.

190 — Évidemment.

— Si je vous achetais votre fusée, je ne pourrais rien en faire.

---

1. **Se démantibulait :** se déglinguait, tombait en morceaux.
2. **Enchères :** une vente où celui qui fait l'offre la plus haute remporte l'objet.

— Je sais.

Bodoni cligna des yeux, les ferma, les rouvrit et regarda
195 Mr Mathews.

— Mais je suis un fou. Je vais prendre l'argent à la banque
et vous le donner.

— Puisque vous ne pouvez pas la faire fondre...

— Livrez-la-moi, dit Bodoni.

200 — Bon, bon. Ce soir ?

— Ce soir, dit Bodoni, ce serait parfait. Oui, j'aimerais
avoir une fusée ce soir.

La lune était levée. La fusée se tenait, grande et argentée, au
milieu du chantier. Elle reflétait la blancheur de la lune et le bleu
205 des étoiles. Bodoni la contemplait et il l'aimait. Il avait envie
de la caresser, se coucher contre elle, presser sa joue contre le
flanc, lui murmurer tous les désirs secrets de son cœur.

Il la parcourut des yeux. « Tu es toute à moi, dit-il. Même
que tu ne bouges jamais et que tu ne craches pas les flammes,
210 et que tu restes là cinquante ans à rouiller, tu es à moi. »

La fusée sentait le temps et la distance. C'était comme s'il
était entré dans un mécanisme d'horlogerie. Elle avait un fini
de montre suisse[1]. On avait envie de la porter dans son gousset[2]. « Je pourrais même y dormir cette nuit. »

215 Il s'assit dans le siège du pilote.

Il toucha un levier.

Il se mit à produire une sorte de ronflement, la bouche
fermée, les yeux clos.

─────────────

1. **Un fini de montres suisses :** une finition parfaite ; les montres suisses
ont une réputation de perfection.
2. **Gousset :** petite poche de gilet ou de pantalon, dans laquelle les hommes glissaient autrefois la montre.

Le ronflement devint plus fort, encore plus fort, il monta,
220 devint plus haut, plus étrange, plus excitant ; il le faisait trembler et se pencher en avant et se rabattre en arrière, ainsi que
tout le vaisseau, dans une sorte de silence rugissant, dans un
déchirement de métal ; tandis que ses doigts volaient sur les
boutons de commande, le son s'amplifia, jusqu'à devenir du
225 feu, une force, une poussée, une énergie qui menaçait de le
couper en deux. Il étouffait. Il continua, car il ne pouvait s'arrêter, il ne pouvait que continuer, paupières serrées l'une contre
l'autre, le cœur battant la chamade[1]. « Départ ! » cria-t-il. Une
déflagration le secoua, un tonnerre. « La Lune ! cria-t-il, ten-
230 du à se rompre. Les météores ! » L'élan silencieux dans l'éclat
d'une éruption. « Mars ! Oh, Seigneur, Mars ! Mars ! »

Il se rejeta sur son siège, épuisé, haletant. Ses mains tremblantes lâchèrent les manettes. Sa tête retomba en arrière avec
violence. Il resta là, longtemps, respirant à grandes bouffées ;
235 les battements de son cœur s'apaisaient.

Très lentement, il ouvrit les yeux.

Le chantier de démolition était toujours là.

Il resta assis sans bouger. Il regarda un long moment l'amon-
cellement de ferraille. Puis il sauta sur ses pieds et frappa les
240 leviers de commande.

— Décolle, par l'enfer !

Le vaisseau resta silencieux.

— Tu vas voir !

En trébuchant, il sauta à terre, se précipita sur son appareil
245 de démolition, lança le moteur rageur, manœuvra la massive
coupeuse, avança sur la fusée. Il s'apprêta avec ses mains

---

1. **Battant la chamade :** battant très vite et très fort.

tremblantes à déchaîner les marteaux, à écraser, à lacérer[1] ce
rêve faux et insolent, cette chose stupide qu'il avait payée de
son argent, qui ne bougeait pas, qui ne voulait pas lui obéir.

250 — Tu vas voir !

Mais sa main s'arrêta. La fusée d'argent luisait au clair de
lune. Au-delà, il voyait les lumières de sa maison, affectueu-
ses. Il entendit sa radio jouer un air. Il resta assis une demi-
heure, à contempler la fusée et les lumières de sa maison ;

255 ses yeux se rétrécissaient et s'élargissaient.

Il descendit de son appareil de démolition et se mit à marcher ; en marchant, il se mit à rire ; quand il eut atteint la porte
de sa demeure, il aspira l'air profondément et appela :

— Maria, Maria ! fais les valises. Nous partons pour
260 Mars !

— Oh !
— Ah !
— Je ne puis le croire !
— Mais si, mais si !

265 Les enfants se balançaient d'un pied sur l'autre devant la fusée,
ils n'osaient pas encore la toucher. Ils se mirent à pleurer.

Maria regarda son mari.

— Qu'as-tu fait ? Tu as pris notre argent pour cela ? Ça
ne volera jamais.

270 — Si, dit-il, les yeux fixés sur la fusée.

— Les fusées coûtent des millions. As-tu des millions ?

— Elle va voler, répéta-t-il. Rentrez tous, maintenant, j'ai des
coups de téléphone à donner, du travail à faire. Nous partons
demain. Et ne le dites à personne, compris ? C'est un secret.

---

1. **Lacérer :** mettre en lambeaux, en morceaux.

275 Les enfants s'éloignèrent en chancelant. Il vit leurs petits visages enfiévrés aux fenêtres de la maison.

Maria n'avait pas bougé.

— Tu nous as ruinés, dit-elle. Notre argent employé pour cette... cette chose. Alors qu'il fallait acheter du matériel.

280 — Tu vas voir, dit-il.

Sans un mot, elle tourna les talons.

— Que Dieu m'aide, murmura-t-il ; et il se mit au travail.

Vers le milieu de la nuit, des camions arrivèrent, livrèrent des colis ; Bodoni, en souriant, épuisa[1] son compte en banque.

285 Avec un chalumeau et des pièces de métal, il attaqua la fusée, souda, supprima, lui adjoignit des artifices[2] magiques et lui infligea de secrètes insultes[3]. Il boulonna[4] neuf vieux moteurs d'automobiles dans la chambre des machines. Puis il ferma hermétiquement le panneau pour que nul ne pût voir ce

290 qu'il avait fait.

À l'aube, il entra dans la cuisine.

— Maria, dit-il, je suis prêt à prendre mon petit déjeuner.

Elle ne souffla mot.

Au coucher du soleil, il appela les enfants.

295 — C'est prêt ! Venez.

La maison resta silencieuse.

— Je les ai enfermés, dit Maria.

— Qu'est-ce que cela veut dire ?

— Vous vous tuerez dans cette fusée. Quel genre de fusée

---

1. **Épuisa :** vida.
2. **Adjoignit des artifices :** ajouta des astuces.
3. **Secrètes insultes :** modifications discrètes qui dénaturent la beauté et l'utilité de la fusée (d'où l'image de l'insulte).
4. **Boulonna :** fixa avec des boulons.

300 est-ce qu'on peut acheter pour deux mille dollars ? Une très
mauvaise.

— Écoute-moi, Maria.

— Elle va exploser. De toute façon, tu n'es pas un pilote.

— Et pourtant, je pourrai la faire voler. Je l'ai arrangée.

305 — Tu es devenu fou, dit-elle.

— Où est la clef du débarras ?

— Je l'ai sur moi.

Il tendit la main.

— Donne-la-moi.

310 Elle la lui donna.

— Tu vas les tuer.

— Mais non.

— Si, oh si ! Je le sens.

— Tu ne viens pas ?

315 — Je vais rester ici, dit-elle.

— Tu comprendras, alors tu verras, dit-il en souriant.

Il ouvrit la porte du débarras.

— Venez les enfants. Suivez papa.

— Au revoir, au revoir, maman !

320 Elle resta à la fenêtre de la cuisine, les suivant des yeux,
très droite, sans mot dire.

À la porte de la fusée, Bodoni dit :

— Les enfants, nous partons pour une semaine. Vous de-
vez retourner à l'école, et moi à mon travail.

325 Il les prit par la main à tour de rôle.

— Écoutez. C'est une très vieille fusée. Elle ne pourra
plus faire qu'un seul voyage. Elle ne volera plus. Ce sera le
voyage de votre vie. Gardez les yeux ouverts.

— Oui, papa.

330 — Écoutez, de toutes vos oreilles. Sentez les odeurs d'une

fusée. Rappelez-vous. Et, quand vous reviendrez, vous en parlerez tout le reste de votre vie.

— Oui, papa.

Le vaisseau était silencieux comme une horloge arrêtée.
335 Le sas se referma en sifflant sur eux. Il les boucla, comme de petites momies, dans les hamacs en caoutchouc.

— Prêts ?

— Prêts ! répondirent-ils.

— Départ !

340 Il poussa dix boutons. La fusée tonna et bondit. Les enfants se balancèrent dans leurs hamacs en poussant des cris.

— Voici la Lune !

La Lune passa comme dans un rêve. Des météores éclatèrent en feu d'artifice. Le temps s'écoula, serpentin de gaz
345 en ignition[1]. Les enfants trépignaient. Détachés de leurs hamacs, des heures plus tard, ils se collèrent aux hublots.

— Voici la Terre... et voici Mars !

La fusée laissait tomber des pétales de feu rose, tandis
350 que les aiguilles tournaient sur les cadrans. Les yeux des enfants se fermaient. Enfin, ils s'endormirent dans leurs sangles comme des papillons dans leurs cocons.

— Bon, murmura Bodoni, seul.

Il sortit sur la pointe des pieds de la chambre de contrôle
355 et se tint pendant un long moment d'inquiétude devant le panneau du sas.

Il appuya sur un bouton. La porte pivota. Il sortit.

Dans l'espace ? Dans les flots d'encre des météores ? Dans la distance qui file et dans des dimensions infinies ?

---

1. **En ignition :** en combustion.

360   Bodoni sourit. Autour de la fusée frémissante s'étendait le chantier.

Rouillée, avec son cadenas qui pendait, il vit la grille de la cour, la petite maison silencieuse, la fenêtre allumée de la cuisine, et la rivière qui s'en allait toujours vers la même mer. 365 Et au milieu de tout ça, la fusée ronronnante agitait les enfants dans leurs hamacs.

Maria se tenait à la fenêtre de la cuisine.

Il lui fit un signe de la main et sourit.

Il ne pouvait apercevoir si elle agitait la main. Un petit 370 geste, peut-être. Et un petit sourire.

Le soleil se levait.

Bodoni rentra vite dans la fusée. Silence. Les enfants dormaient. Il se laça dans un hamac et ferma les yeux. Il s'adressa une prière à lui-même. Que rien n'arrive à l'illusion durant les six 375 prochains jours. Que l'espace vienne et s'étire, que Mars la rouge glisse sous la fusée, avec ses satellites ; qu'il n'y ait pas de coupure dans les films en couleur. Que les trois dimensions se maintiennent, que rien ne détériore les miroirs et les écrans cachés qui fabriquent le rêve. Que le temps s'écoule sans anicroche[1].

380   Il se réveilla.

Mars flottait près de la fusée.

— Papa ! Les enfants tiraient comme des fous sur leurs sangles pour qu'il vienne les détacher.

Mars était rouge, tout marchait bien et Bodoni était heureux.

385   Au soir du septième jour, la fusée cessa de vibrer.

— Nous sommes arrivés, dit Fiorello Bodoni.

Ils sortirent de la fusée et traversèrent le chantier ; le sang chantait dans leurs veines et leurs yeux brillaient.

---

1. **Sans anicroche :** sans accroc, sans incident.

— J'ai préparé des œufs au jambon pour vous tous, dit
390 Maria de la porte de la cuisine.

— Maman, maman, tu aurais dû venir, tu aurais dû voir
Mars, maman, et les météores et tout !

— Oui, dit-elle.

À l'heure de se coucher, les enfants s'assemblèrent de-
395 vant Bodoni.

— Nous voulons te remercier, papa.

— Ce n'est rien du tout.

— Nous nous en souviendrons toujours, papa. Nous
n'oublierons jamais.

400 Très tard dans la nuit, Bodoni ouvrit les yeux. Il sentit que
sa femme, allongée à ses côtés, l'observait. Elle ne fit pas un
mouvement pendant longtemps et puis elle embrassa soudain
ses joues et son front.

— Tu es le meilleur des pères qui soient au monde,
405 chuchota-t-elle.

— Et pourquoi ?

— Maintenant, je le comprends, dit-elle, je le vois.

Elle lui prit la main, les yeux fermés.

— Est-ce que c'est un très beau voyage ?
410 — Oui.

— Peut-être, dit-elle, peut-être qu'une nuit tu pourrais
m'emmener pour un tout petit tour, tu ne crois pas ?

— Un petit, peut-être, dit-il.

— Merci, dit-elle. Bonne nuit.
415 — Bonne nuit, dit Fiorello Bodoni.

L'Authentique Momie égyptienne faite maison du colonel Stonesteel[1]

C'était l'automne où l'on trouva l'authentique momie égyptienne de l'autre côté du lac des Fous.

Comment la momie était arrivée là, et depuis combien de temps elle y était, personne n'en savait rien. Mais elle était
5 là, enveloppée dans des lambeaux de bandelettes traitées à la créosote[2], quelque peu gâtée[3] par le temps, attendant seulement qu'on la découvre.

La veille, ce n'était qu'un jour d'automne comme les autres — arbres flamboyants qui laissaient tomber leurs feuilles rous-
10 sies, forte odeur poivrée dans l'air — quand Charlie Flagstaff, douze ans, sortit de chez lui et se figea au milieu d'une rue passablement vide, dans l'espoir que se produise quelque chose d'énorme, de particulier, d'excitant.

— D'accord, dit Charlie au ciel, à l'horizon, au monde entier.
15 J'attends. Allez-y !

Rien ne se produisit. Charlie partit donc à travers la ville en donnant des coups de pied dans les feuilles, jusqu'au moment où il arriva devant la plus haute maison de la plus grande rue,

---

1. **L'Authentique Momie égyptienne faite maison du colonel Stonesteel :** le titre original de cette nouvelle est *Colonel Stonesteel's genuine home-made truly egyptian mummy.* Elle est ici traduite de l'anglais par par Jacques Chambon. Extrait de *À l'ouest d'octobre.*
2. **La créosote :** liquide huileux, transparent et désinfectant.
3. **Gâtée :** abîmée.

la maison où se rendaient tous les gens de Green Town qui
20 avaient des ennuis. Charlie se renfrogna[1], brusquement très
énervé. Il avait des ennuis, soit, mais il n'arrivait tout simplement pas à mettre la main sur leur forme ou leur taille. Aussi
se contenta-t-il de fermer les yeux et de crier en direction des
fenêtres de la grande maison :
25 — Colonel Stonesteel !

La porte de devant s'ouvrit immédiatement, comme si
le vieil homme avait attendu là, à l'exemple de Charlie, que
quelque chose d'incroyable se produise.

— Charlie, lança le colonel, tu es assez grand pour frap-
30 per. Qu'est-ce que c'est que cette manie qu'ont les garçons
de crier de dehors ? Fais un autre essai.

Charlie poussa un soupir et vint frapper doucement à la porte.

— Charlie Flagstaff, c'est toi ? La porte se rouvrit, le colonel glissa un œil dans l'entrebâillement. Je croyais t'avoir dit
35 de crier bien fort de dehors !

— Zut, soupira Charlie, écœuré.

— Regarde-moi ce temps. Nom d'un chien ! Le colonel
s'avança pour faire aiguiser son nez en lame de couteau par
le vent frisquet. N'aimes-tu pas l'automne, mon garçon ? Une
40 bien belle journée ! Pas vrai ?

Il se retourna pour plonger son regard sur le visage pâlot de
l'enfant.

— Eh bien, mon garçon, tu as tout à fait la tête de quelqu'un
dont le dernier ami serait parti et dont le chien viendrait de mourir.
45 Qu'est-ce qui ne va pas ? L'école reprend la semaine prochaine ?

— Ouais.

---

1. **Se renfrogna :** témoigna son mécontentement par une grimace du
visage.

— Halloween[1] n'arrive pas assez vite ?

— Encore six semaines à attendre. Autant dire un an. Vous avez sûrement remarqué, colonel... L'enfant poussa un soupir
50 encore plus profond en tournant les yeux vers la ville automnale. Il ne se passe jamais grand-chose par ici.

— Enfin, c'est demain la fête du Travail, un grand défilé, sept chars, le maire, peut-être un feu d'artifice et... Le colonel s'arrêta net, nullement impressionné par sa liste de com-
55 missions. Quel âge as-tu, Charlie ?

— Treize ans, presque.

— Les choses ont tendance à se calmer quand on arrive à treize ans. Les yeux du colonel basculèrent vers les données loqueteuses affichées à l'intérieur de son crâne. Se trouvent
60 au point mort quand on en a quatorze. Sont à l'agonie à seize. Et c'est la fin du monde à dix-sept. Ça ne repart un petit peu qu'à vingt ans, ou plus. En attendant, Charlie, qu'est-ce qu'on va faire pour survivre jusqu'à l'après-midi en cette veille de fête du Travail ?

65 — Si quelqu'un doit le savoir, c'est vous, colonel.

— Charlie, dit le vieil homme en évitant le regard limpide de l'enfant, je peux remuer des hommes politiques gros comme des porcs de concours agricole[2], secouer les squelettes de la mairie, faire remonter une locomotive en haut d'une côte.
70 Mais les petits garçons désœuvrés qui ont du vague à l'âme[3] en ces longues fins de semaine d'automne ? Eh bien...

---

1. **Halloween :** mot anglais désignant une fête (le 31 octobre) au cours de laquelle les enfants masqués et déguisés vont de porte en porte pour obtenir des friandises.
2. **Concours agricole :** festivité paysanne au cours de laquelle on prime les plus beaux animaux.
3. **Vague à l'âme :** mélancolie.

Le colonel Stonesteel contempla les nuages, jaugea[1] l'avenir.

— Charlie, dit-il enfin, je suis ému par ton état, touché par
75 l'image de ta personne couchée en travers des rails dans l'attente d'un train qui ne viendra jamais. Que dirais-tu de ceci ? Je vais te parier six barres de Baby Ruth[2] contre l'obligation pour toi de tondre ma pelouse que Green Town, haut Illinois, cinq mille soixante-deux habitants, un millier de chiens, va
80 se trouver changé à jamais, changé dans le sens d'un mieux, sacré nom, dans les prochaines miraculeuses vingt-quatre heures. Ça te va ? On parie ?

— Et comment ! Charlie, le visage fendu par un grand sourire, saisit la main du vieil homme et la secoua vigoureusement. On
85 parie ! Colonel Stonesteel, je savais que vous pouviez faire ça.

— Rien n'est encore fait, fiston. Mais regarde par là. La ville est la mer Rouge[3]. Je lui ordonne de *s'ouvrir*. Place !

Le colonel d'un pas décidé, Charlie en courant, ils pénétrèrent dans la maison.
90 — Nous y voilà, Charles, la casse ou le cimetière. Lequel des deux ?

Le colonel renifla en direction d'une porte qui menait à un sous-sol en terre battue, puis d'une autre qui menait à un grenier perclus de sécheresse[4].
95 — Voyons voir...

---

1. **Jaugea :** évalua.
2. **Baby Ruth :** nom d'une marque de barres chocolatées.
3. **La mer Rouge :** dans l'Ancien Testament (la première partie de la Bible), Dieu sépare les flots de la mer Rouge (la fait « s'ouvrir ») pour que Moïse et le peuple hébreu puissent la traverser à pied sec.
4. **Perclus de sécheresse :** rabougri par la sécheresse.

Un brusque coup de vent fit gémir le grenier comme un vieillard en train de mourir dans son sommeil. D'une secousse, le colonel ouvrit la porte en grand sur des murmures d'automne, des orages qui frémissaient tout là-haut, 100 prisonniers des combles[1].

— Tu entends ça, Charlie ? Qu'est-ce que ça dit ?

— Eh bien...

Une bouffée de vent emporta le colonel dans les escaliers ténébreux comme elle l'aurait fait d'un fétu de paille[2].

105 — Le temps, surtout, voilà ce que ça exprime, les choses anciennes, le passé, tout un monde révolu[3]. La poussière, et peut-être la douleur. Écoute ces poutres ! Laisse le vent ébranler cette vieille carcasse de bois par un beau jour d'automne, et tu entendras la voix même du temps. 110 Feux et cendres, bûchers hindous[4], fleurs de cimetière devenues fantômes...

— Ça alors, colonel, haleta Charlie en gravissant les marches, vous devriez écrire pour *Le Dessus du panier*[5] !

— Je l'ai fait une fois ! Refusé. Nous y voilà !

115 Et ils y étaient bel et bien, dans un endroit sans calendrier, sans mois, ni jours, ni années, où les ombres tissaient une vaste architecture traversée çà et là par l'éclat de lustres écroulés qui formaient comme de grandes coulées de larmes dans la poussière.

120 — Ça alors, s'écria Charlie, effrayé et ravi de l'être.

— On se calme, dit le colonel. Prêt pour que je te mette

---

1. **Combles :** partie la plus haute d'une maison, sous la charpente ; grenier.
2. **Un fétu de paille :** un brin de paille.
3. **Un monde révolu :** un monde disparu.
4. **Bûchers hindous :** les hindous brûlent les morts sur des bûchers.
5. *Le Dessus du panier :* titre d'une publication locale.

au monde un de ces trucs pas possibles à faire tourner tout le monde en bourrique ?

— Prêt !

125 Le colonel débarrassa une table de son fouillis de cartes, diagrammes[1], billes d'agate, verres de lunettes, toiles d'araignées et poussière à faire éternuer un régiment, puis remonta ses manches.

— Ce qu'il y a de bien quand il s'agit de mettre au mon-
130 de un mystère, c'est qu'on n'a pas besoin de faire bouillir de l'eau et de se laver les mains. Passe-moi ce rouleau de papyrus là-bas, cette aiguille à repriser juste un peu plus loin, ce vieux diplôme sur l'étagère, ce paquet de bourre[2] par terre. Et que ça saute !

135 — Ça saute ! Charlie se lança dans une série d'allées et venues éclairs.

Des paquets de brindilles sèches, des poignées de roseaux et de branches d'osier se mirent à voler. Les seize mains du colonel s'agitaient frénétiquement[3], jonglant avec seize
140 aiguilles, bouts de cuir, bruissements d'herbe sèche, ébouriffements de plumes de chouette, éclairs jaunes d'yeux de renard. Le colonel fredonnait et grognait tandis que ses huit miraculeuses paires de bras et de mains descendaient en piqué[4] et faisaient du rase-mottes, cousaient et dansaient.

145 — Là ! s'écria-t-il en tranchant l'air d'un coup de nez pour désigner son ouvrage. Déjà la moitié de fait. Ça prend forme. Jette un coup d'œil par ici, gamin. À quoi ça commence à ressembler ?

---

1. **Diagrammes :** graphiques.
2. **Bourre :** déchet du peignage de la laine servant à garnir les coussins.
3. **Frénétiquement :** vivement.
4. **Descendaient en piqué :** fonçaient droit du haut vers le bas.

Charlie fit le tour de la table, les yeux comme des soucou-
150 pes, la bouche grande ouverte.

— Ça alors... ça alors... balbutia-t-il.

— Oui ?

— Ça ressemble...

— Oui. Oui ?

155 — À une momie ? Mais non, ça ne se peut pas !

— Mais si ! En plein dans le mille, mon garçon ! Mais si !

Le colonel se pencha sur l'objet vaguement oblong[1]. Les
mains plongées jusqu'aux poignets dans sa création, il écouta
son murmure de roseaux, chardons et fleurs séchées.

160 — Maintenant, tu es tout à fait en droit de demander :
Quelle idée de fabriquer une momie ? C'est toi, toi, Charlie,
qui m'as inspiré ça. C'est toi qui m'as mis sur la voie. Jette un
coup d'œil par la fenêtre là-bas.

Charlie cracha sur la vitre empoussiérée, y ménagea un
165 petit hublot d'observation et regarda dehors.

— Eh bien, fit le colonel. Qu'est-ce que tu vois ? Est-ce qu'il
se passe quelque chose en ville, mon garçon ? Des meurtres
en cours ?

— Non, malheureusement...

170 — Quelqu'un en train de tomber du clocher ou de passer
sous une tondeuse à gazon en folie ?

— Non.

— Des *Monitors* ou des *Merrimacs*[2] fendant les eaux du

---

1. **Oblong :** allongé.

2. **Des *Monitors* ou des *Merrimacs* :** noms de marque de bateaux à
moteurs.

lac, des dirigeables[1] dégringolant sur le temple maçonnique[2]
175 et, hop, six mille maçons[3] de moins d'un coup ?

— Allez, colonel, il n'y a que cinq mille habitants à Green Town !

— Aie l'œil, mon garçon. Observe. Fais ton rapport ! Charlie ne voyait qu'une ville archi-calme.

180 — Pas de dirigeables. Pas de temples maçonniques écrabouillés.

— Eh oui ! Le colonel rejoignit Charlie et inspecta le paysage. Il désigna la petite ville de la main et du nez. Dans tout Green Town, depuis tout le temps que tu y vis, pas un
185 meurtre, pas un incendie d'orphelinat, pas un de ces maniaques qui s'amusent à graver leur nom sur les jambes de bois des bibliothécaires ! Regarde les choses en face, mon garçon, Green Town, haut Illinois, est la ville la plus ordinaire, la plus étriquée[4], la plus prodigieusement ennuyeuse
190 de toute l'histoire des empires romain, germanique, russe, anglais et américain réunis ! Si Napoléon[5] était né ici, il se serait fait hara-kiri[6] à l'âge de neuf ans. D'ennui. Si Jules

---

1. **Des dirigeables :** ou ballons dirigeables ; appareil muni d'hélices propulsives et d'un système de direction dont l'équilibre est assuré par un gaz plus léger que l'air ambiant.
2. **Temple maçonnique :** l'adjectif « maçonnique » renvoie à la franc-maçonnerie, association longtemps secrète, à la fois philanthropique et philosophique. Le « temple » désigne le lieu de réunion de ses membres.
3. **Maçons :** franc-maçons.
4. **Étriquée :** qui manque de grandeur.
5. **Napoléon :** Napoléon Iᵉʳ (1769-1821), né à Ajaccio, en Corse.
6. **Hara-kiri :** mode de suicide jugé honorable au Japon (en s'ouvrant le ventre avec une épée ou un poignard).

César[1] avait grandi ici, il serait allé au Forum[2] dès l'âge de dix ans et se serait planté son propre poignard...

195 — D'ennui, fit Charlie.

— Exact ! Continue de regarder par cette fenêtre pendant que je travaille, fiston. Le colonel revint s'activer autour de l'étrange forme qui grossissait sur la table grinçante. Ici, l'ennui se mesure au quintal, au kilomètre de cortège funèbre.

200 Les pelouses, les maisons, le pelage des chiens, les cheveux des gens, les costumes dans les devantures poussiéreuses, tout est taillé dans la même étoffe...

— D'ennui, conclut Charlie.

— Et qu'est-ce que tu fais quand tu t'ennuies à mourir,

205 fiston ?

— Euh... je vais casser un carreau dans une maison hantée ?

— Grands dieux ! il n'y a pas de maisons hantées à Green Town, mon garçon !

— Autrefois, il y en avait. La maison Higley. Rasée.

210 — Tu vois où je veux en venir ? Alors, qu'est-ce qu'on fait *d'autre* pour ne pas périr d'ennui ?

— On organise un jeu de massacre ?

— Il y a belle lurette[3] qu'il n'y a plus de jeu de massacre ici. Seigneur Dieu, même notre chef de police est honnête !

215 Le maire... blanc comme neige ! De quoi devenir fou. Toute la ville encalminée[4] dans l'ennui le plus absolu ! Ta dernière chance, Charlie : qu'est-ce qu'on *fait* ?

---

1. **Jules César** : général et homme d'État romain, né en 101 av. J.-C. et assassiné en 44 av. J.-C.
2. **Le Forum** : la grande place publique romaine où se traitaient les affaires commerciales et politiques.
3. **Il y a belle lurette** : il y a très longtemps.
4. **Encalminée** : immobilisée, paralysée.

— On construit une momie ? Charlie sourit.

— Bingo ! Admire un peu le travail !

220 Et, dans un concert de gloussements, le vieil homme de saisir des morceaux de chouette et de lézard empaillés, de vieux bandages jaunis remontant à une chute de ski qui lui avait démoli une cheville et brisé une idylle[1] en 1895, des bouts de chambre à air Kissel Kar[2] 1922, des restes de feux
225 de Bengale[3] qui avaient fêté le dernier été de paix avant la Grande Guerre[4], le tout allant et venant, s'entrelaçant sous ses doigts pareils à des insectes en proie à la danse de Saint-Guy[5].

— Et voilà, Charlie ! C'est fini !

230 — Oh ! colonel ! Le garçon ouvrait de grands yeux, le souf-fle coupé. Est-ce que je peux lui faire une couronne ?

— Fais-lui une couronne, fiston. Fais-lui une couronne.

Le soleil déclinait quand le colonel, Charlie et leur ami égyptien descendirent l'escalier enténébré qui donnait sur
235 l'arrière de la maison du vieil homme, deux d'entre eux d'un pas pesant, le troisième flottant, aussi léger que des corn flakes grillés, dans l'air automnal.

— Colonel, songea Charlie à voix haute, qu'est-ce qu'on va faire de cette momie, maintenant qu'on l'a ? C'est pas
240 comme si elle pouvait parler, ou se promener...

---

1. **Une idylle :** une aventure amoureuse.
2. **Kissel Kar :** nom d'une marque de voitures dans les années 1905.
3. **Feux de Bengale :** feux d'artifice.
4. **La Grande Guerre :** la Première Guerre mondiale, la guerre de 1914-1918.
5. **La danse de Saint-Guy :** maladie provoquant des convulsions brèves des muscles.

— Inutile, mon garçon. Laisse les gens parler, laisse les gens s'agiter. Et regarde un peu dehors.

Ils entrebâillèrent la porte et promenèrent un regard inquisiteur[1] sur une ville écrasée de paix et accablée de
245 désœuvrement.

— Ce n'est pas assez, n'est-ce pas, que tu sois guéri de ta crise presque fatale de vague à l'âme. Tout le monde en ville remonte soigneusement sa montre, pas besoin d'aiguilles aux horloges, de peur de découvrir en se levant le matin
250 que c'est toujours et à jamais dimanche ! Et de qui va venir le salut, mon garçon ?

— D'Amon Bubastis Ramsès Ra Trois, tout frais arrivé par l'omnibus de quatre heures ?

— Que l'amour de Dieu soit sur toi, mon garçon, oui. Ce
255 que nous avons ici est une graine géante. Et une graine ne sert à rien à moins de faire *quoi* avec ?

— Euh..., fit Charlie en plissant un œil. La planter ?

— Parfaitement ! La planter ! Et la regarder pousser ! Et qu'est-ce qui vient ensuite ? La récolte. La récolte ! Amène-
260 toi, mon garçon. Et... n'oublie pas ton ami.

Le colonel se glissa dans les premières ombres de la nuit. La momie suivit peu après, Charlie aidant.

Le jour de la fête du Travail, en plein midi, Osiris Bubastis Ramsès Amon-Ra-Tut remonta du pays des Morts.
265 Un petit vent d'automne fit frémir le paysage et battre les portes avec un bruit différent de celui du classique défilé de la fête du Travail — sept chars, une fanfare de

---

1. **Un regard inquisiteur :** un regard indiscret.

fifres[1] et de tambours, et le maire — mais fort proche de
celui d'une foule grandissante à mesure qu'elle déferlait
270 dans les rues pour finalement se répandre sur la pelouse
qui s'étendait devant la maison du colonel Stonesteel. Le
colonel et Charlie étaient assis sous la véranda, et cela
depuis des heures, à attendre qu'éclate la révolution, que
se reproduise la prise de la Bastille[2]. Et maintenant que
275 les chiens, devenus furieux, mordaient les chevilles des
garçons et que ceux-ci dansaient aux abords de la foule,
le colonel abaissa son regard sur la Création (la sienne et
celle de Charlie) et exhiba son sourire secret.

— Eh bien, Charlie..., est-ce que j'ai gagné mon pari ?
280 — Pour sûr, colonel !
— Viens.

Les téléphones sonnaient dans toute la ville et les plats
prévus pour le déjeuner brûlaient sur les fourneaux quand
le colonel s'avança majestueusement pour donner au défilé
285 sa bénédiction papale.

Au centre de la foule se trouvait un chariot tiré par un
cheval. Sur le chariot, les yeux chamboulés par l'émotion de
la découverte, se trouvait Tom Tuppen, propriétaire d'une
ferme agonisante juste en dehors de la ville. Tom n'était qu'un
290 torrent de paroles, et la foule avec lui, parce que l'arrière du
chariot contenait la récolte toute spéciale surgie d'un passé
de quatre mille ans.

— Eh bien, il ne reste plus qu'à ouvrir les vannes[3] au Nil et

---

1. **Fifres :** petites flûtes en bois.
2. **La prise de la Bastille :** le 14 juillet 1789, la prise de la prison de la Bastille par les Parisiens marque le début de la Révolution française.
3. **Les vannes :** système qui régule le débit d'une canalisation.

à ensemencer le Delta[1] ! s'étrangla le colonel en écarquillant
295 les yeux. N'est-ce pas une authentique momie égyptienne
que je vois étendue là dans son papyrus originel et son enduit
de coaltar[2] ?

— Et comment que c'en est une ! s'écria Charlie.

— Et comment ! hurla la foule.

300 — Je labourais mon champ ce matin, dit Tom Tuppen. Et
que je te laboure, et que je te laboure... et bang ! V'là la char-
rue qui me sort ça juste sous le nez ! J'ai cru en avoir une
attaque ! Pensez donc ! Dire que les Égyptiens ont dû traverser
l'Illinois il y a trois mille ans et que personne n'en savait rien !
305 Pour une révélation, c'est une révélation ! Écartez-vous, les
gosses, que je puisse transporter ma trouvaille au bureau de
poste ! Que tout le monde la voie ! Allez, hue, cocotte !

Le cheval, le chariot, la momie et la foule s'éloignèrent, laissant le colonel où il était, son regard et sa bouche feignant
310 toujours l'étonnement.

— Nom d'un chien, murmura le colonel, on y est arrivé,
Charles. Tout ce tumulte, tout ce bavardage, toute cette hystérie jacassante[3], vont nous durer un bon millier de jours
ou jusqu'à l'Armageddon[4], peu importe ce qui viendra en
315 premier !

— Oui, *mon* colonel !

---

1. **Ensemencer le Delta :** tout comme le Nil forme avec ses limons un
delta favorable à la culture, le colonel va faire s'élargir et prospérer la
rumeur.
2. **Coaltar :** goudron.
3. **Cette hystérie jacassante :** cette folie bruyante.
4. **L'Armageddon :** dans la Bible (Apocalypse de Saint Jean, XVI, 16),
Armageddon désigne le lieu symbolique du combat entre le Bien et le Mal,
à la fin des temps. Par extension, le mot désigne toute bataille catastrophi-
que et, au cinéma, une bataille interplanétaire.

— Michel-Ange n'aurait pas fait mieux. Son petit David[1] est une misère morte et enterrée comparé à notre surprise égyptienne et...

320 Le colonel s'interrompit ; le maire arrivait au pas de course.

— Salut, colonel, Charlie ! Je viens de téléphoner à Chicago. La presse est là demain au petit déjeuner ! Les gens du Patrimoine au déjeuner. Alléluia[2] pour la chambre de commerce de Green Town !

325 Le maire se précipita à la suite de la foule.

Un nuage automnal traversa le visage du colonel et se stabilisa dans la région de sa bouche.

— Fin de l'acte premier, Charlie. Dépêche-toi de réfléchir. L'acte deux va commencer. Nous *tenons* à ce que toute cette
330 agitation se prolonge à jamais, n'est-ce pas ?

— Oui, mon colonel...

— Creuse-toi le ciboulot[3], mon garçon. Qu'est-ce que dit oncle Wiggily ?

— Oncle Wiggily dit... euh... de faire deux pas *en arrière ?*

335 — Vingt sur vingt pour le jeune homme, une médaille en or et un gâteau noix-chocolat ! Ce que le Seigneur donne, le Seigneur le reprend, n'est-ce pas ?

Charlie dévisagea le vieil homme et entrevit la promesse de terribles catastrophes.

340 — Oui, chef.

Le colonel regarda la foule qui s'agitait autour de la poste.

---

1. **Son petit David :** une des très célèbres statues en marbre de Michel-Ange, sculpteur, peintre, architecte et poète italien (1473-1564) ; son *David* est de grandes proportions.
2. **Alléluia :** mot hébreu désignant un chant de joie pouvant se traduire ici par « grâces soient rendues » à la chambre de commerce.
3. **Le ciboulot :** familièrement, le cerveau, la tête.

Les fifres et les tambours de la fanfare arrivèrent et jouèrent un morceau d'allure vaguement égyptienne.

— Au coucher du soleil, Charlie, murmura le colonel, les
345 yeux fermés. On bouge notre dernier pion.

Quelle journée ce fut ! Des années plus tard les gens en parlaient encore : Ah ! oui, quelle journée ! Le maire alla chez lui se mettre sur son trente et un et revint faire trois discours et mener deux défilés, l'un en remontant la Grand-
350 Rue en direction du terminus de la ligne de tramway, l'autre en sens inverse, Osiris Bubastis Ramsès Amon-Ra-Tut au centre des deux, souriant tantôt du côté droit quand les lois de la pesanteur déportaient sa forme légère, tantôt du côté gauche lorsqu'on négociait un virage. La fanfare de fifres et
355 tambours, désormais équipée d'un copieux renfort de cuivres, avait passé une heure à boire de la bière et à apprendre la marche d'*Aïda*[1] et joua ce morceau tant de fois que les mères emportaient leurs bébés hurlants à la maison tandis que les hommes se réfugiaient dans les bars pour se calmer les
360 nerfs. Il fut question d'un troisième défilé et d'un quatrième discours, mais le crépuscule prit la ville au dépourvu et tout le monde, y compris Charlie, rentra chez soi pour un dîner plus riche en paroles qu'en nourriture.

Vers huit heures, Charlie et le colonel roulaient le long des
365 rues jonchées de feuilles, profitant de l'air doux de la nuit, dans la Moon 1924[2] du vieil homme, une voiture qui était prise de tremblements dès que s'arrêtaient ceux du colonel.

---

1. *Aïda* : célèbre opéra de l'Italien Giuseppe Verdi (1813-1901), dans lequel les trompettes jouent un rôle important.
2. **La Moon 1924** : nom d'une voiture, construite entre 1914 et 1924.

— Où allons-nous, colonel ?

— Eh bien, rêvassa à voix haute le colonel en pilotant à ses
370 vingt petits kilomètres à l'heure pleins de philosophie, tout
le monde, y compris ta famille, est en ce moment à l'Espla-
nade, d'accord ? Les derniers discours du jour. Quelqu'un
allumera la baudruche à l'effigie du maire[1] et elle montera
à une dizaine de mètres en l'air, exact ? Les pompiers vont
375 tirer un beau feu d'artifice. Ce qui signifie que le bureau de
poste, plus la momie, plus le chef de la police, seront aussi
vides et vulnérables les uns que les autres. Alors le miracle
s'accomplira, Charlie. Il le *faut*. Demande-moi pourquoi.

— Pourquoi ?

380 — Excellente question. Eh bien, mon garçon, les gens de
Chicago vont débarquer du train demain tout chauds tout frais
comme les crêpes du petit déjeuner, avec leurs nez fureteurs,
leurs binocles et leurs microscopes. Ces fouineurs du Patrimoine,
plus la Presse associée, vont examiner notre pharaon sous toutes
385 les coutures et griller leurs fusibles[2]. Cela étant, Charles...

— Nous sommes en route pour semer le caca.

— Ta formulation manque de délicatesse, mais elle a son
fond de vérité. Regarde les choses sous cet angle, mon enfant,
la vie est un spectacle de magie, ou *devrait* l'être si les gens
390 ne s'endormaient pas les uns sur les autres. Il faut toujours
laisser les gens avec un brin de mystère, fiston. Donc, avant
que nos concitoyens ne s'habituent à notre vieil ami, avant
qu'il n'use la mauvaise serviette de bain, il faut qu'il imite

---

1. **Baudruche à l'effigie du maire :** ballon sur lequel on a représenté le
maire.
2. **Griller leurs fusibles :** familièrement, ne rien comprendre et perdre le
contrôle d'eux-mêmes.

l'invité du week-end qui a du tact[1] et qu'il enfourche le pro-
395 chain chameau en partance pour l'ouest. Nous y voilà !

Le bureau de poste était plongé dans le silence ; une unique
lumière brillait dans l'entrée. Par la grande fenêtre ils pouvaient
voir le shérif assis à côté de la momie exposée, aussi muets l'un que
l'autre, abandonnés par les foules parties assister au feu d'artifice.

400 — Charlie. Le colonel exhiba un sac en papier dans lequel
glouglouttait un mystérieux liquide. Donne-moi trente-cinq
minutes pour amadouer le shérif. Après quoi tu te faufiles
à l'intérieur, tends l'oreille, écoutes bien mes répliques et
accomplis le miracle. Ni vu ni connu !

405 Et le colonel s'esquiva.

De l'autre côté de la ville, le maire s'assit et les fusées partirent.

Debout sur le toit de la Moon, Charlie regarda le feu d'artifice pendant une demi-heure. Puis, imaginant que le shérif était désormais amadoué, il traversa la rue au petit trot et
410 se glissa dans le bureau de poste en s'arrangeant pour rester dans l'ombre.

— Eh bien, disait le colonel, assis entre le pharaon et le
shérif, vous n'allez pas finir cette bouteille ?

— C'est comme si c'était fait, répondit le shérif en joignant
415 le geste à la parole.

Le colonel se pencha en avant dans la pénombre et examina
l'amulette[2] d'or sur la poitrine de la momie.

— Vous croyez à ces vieilles histoires ?

— Quelles vieilles histoires ? fit le shérif.

420 — Comme quoi si on lit ces hiéroglyphes à voix haute, la
momie revient à la vie et marche.

---

1. **Tact :** délicatesse.
2. **Amulette :** porte-bonheur.

— Balivernes !

— Regardez-moi tous ces jolis symboles égyptiens ! poursuivit le colonel.

425 — Quelqu'un m'a chipé mes lunettes. Lisez-moi donc ces trucs. Faites marcher cette idiotie de momie.

Charlie vit là le signal de sa propre entrée en action et, toujours tapi dans l'ombre, entama un mouvement tournant en direction du roi égyptien.

430 — Allons-y. Le colonel se pencha de plus près sur l'amulette du pharaon, tout en faisant glisser les lunettes du shérif de la paume de sa main dans sa poche latérale. Le premier symbole est un faucon. Le deuxième un chacal. Le troisième, là, une chouette. Le quatrième un œil de renard...

435 — Continuez, fit le shérif.

Le colonel ne se fit pas prier. Sa voix montait et retombait, le shérif dodelinait de la tête et toutes les images, tous les mots égyptiens se déroulaient, enveloppaient la momie, jusqu'au moment où le colonel s'étrangla.

440 — Grand Dieu, shérif, regardez !

Le shérif écarquilla les yeux.

— La momie ! dit le colonel. La voilà qui s'en va !

— Ça ne se peut pas ! se récria le shérif. Ça ne se peut pas !

— Si, fit une voix quelque part, tout bas, peut-être celle
445 du pharaon.

Et la momie de s'élever au-dessus du sol et de flotter en direction de la porte.

— Ma parole, gémit le shérif, les larmes aux yeux. On dirait qu'elle... *s'envole !*

450 — Je ferais bien de la suivre et de tâcher de la ramener, dit le colonel.

— C'est ça, oui !

La momie avait disparu. Le colonel se précipita. La porte claqua.

— Oh ! la la ! Le shérif s'empara de la bouteille et la secoua.
455 Vide.

Ils renversèrent la vapeur devant la maison de Charlie.

— Est-ce qu'il arrive à tes parents de monter dans ton grenier, mon garçon ?

— Trop petit. C'est toujours moi qu'ils y envoient farfouiller.

460 — Parfait. Enlève notre vieil ami égyptien du siège arrière et monte-le là-haut, il ne pèse pas lourd, une dizaine de kilos au maximum, tu l'as déjà porté sans problème. Quel spectacle quand tu t'es carapaté du bureau de poste en faisant marcher la momie ! Tu aurais dû voir la tête du shérif !

465 — J'espère qu'il n'aura pas d'ennuis à cause de ça.

— Oh ! il va se triturer les méninges et inventer une belle histoire. Il peut difficilement admettre qu'il a vu la momie partir faire un petit tour, non ? Il pensera à quelque chose, lèvera une petite troupe, tu verras. Mais pour l'instant, fiston, monte notre

470 vieil ami là-haut, cache-le bien, rends-lui visite chaque semaine. Raconte-lui des histoires. Et dans trente ou quarante ans d'ici...

— Oui ?

— Par une sale année si bourrée d'ennui qu'il te dégoulinera des oreilles, quand tout le monde en ville aura depuis

475 longtemps oublié cette première arrivée-départ, un matin, disons, où tu n'auras pas la moindre envie de quitter ton lit, même pas envie de remuer une oreille ou une paupière, tellement tu te sentiras accablé d'ennui... eh bien, ce matin-*là*, Charlie, tu n'auras qu'à grimper dans ton

480 grenier avec tout son bric-à-brac et à tirer cette momie du lit, la jeter dans un champ de maïs et regarder de nouvelles foules se déchaîner. La vie reprendra en cet instant, en ce

jour, pour toi, la ville, tout le monde. Et maintenant, hop, exécution !

485 — Ça m'embête à mort que cette nuit doive finir, dit tout doucement Charlie. Est-ce qu'on ne pourrait pas faire le tour de quelques pâtés de maisons et terminer par un peu de citronnade sous votre véranda ? Et l'emmener avec nous, *lui aussi ?*

— Va pour la citronnade ! Le colonel frappa du talon le
490 plancher de la voiture. Celle-ci revint à la vie dans une explosion. En l'honneur du roi perdu et du fils du pharaon !

Tard dans la soirée ils étaient tous deux installés une fois de plus sous la véranda du colonel, doucement ventilés par le balancement de leurs fauteuils, citronnade en main, glaçons en
495 bouche, savourant le goût des incroyables aventures de la nuit.

— Oh ! la la ! dit Charlie. Je vois d'ici les gros titres du *Clarion* de demain : UNE MOMIE SANS PRIX VICTIME D'UN ENLÈVEMENT. RAMSÈS-TUT DISPARAÎT SANS LAISSER DE TRACE. UNE DÉCOUVERTE INESTIMABLE RÉDUITE À NÉANT. OFFRE DE RÉCOMPENSE.
500 LE SHÉRIF SE PERD EN CONJECTURES[1]. CHANTAGE PRÉSUMÉ.

— Continue, mon garçon. Tu te débrouilles vraiment bien avec les mots.

— C'est de vous que je tiens ça, colonel. À votre tour maintenant.

505 — Qu'est-ce que tu veux que je dise ?

— Ce qu'est véritablement la momie. De quoi elle est vraiment faite. D'où elle vient. Ce qu'elle *signifie... ?*

— Eh bien, mon garçon, tu étais là, tu as mis la main à la pâte, tu as *vu...*

510 Charles regarda le vieil homme avec insistance.

---

1. **Conjectures :** hypothèses.

— Non. Grand soupir. Dites-moi, colonel.

Le vieil homme se leva pour se planter dans les ombres qui s'étendaient entre les deux fauteuils à bascule. Il tendit le bras pour toucher leur vieux chef-d'œuvre façon tabac-récolté-dans-les-plaines-alluviales[1]-du-Nil appuyé contre le lambris[2] de la véranda.

Les dernières lueurs du feu d'artifice mouraient dans le ciel. Leur reflet s'éteignit dans les yeux de lapis-lazuli[3] de la momie qui regardait le colonel Stonesteel tout comme l'enfant le regardait : dans l'expectative[4].

— Tu veux savoir qui elle était *vraiment*, autrefois ?

Le colonel ramassa une poignée de poussière dans ses poumons et l'expulsa doucement.

— Elle était tout le monde, personne, quelqu'un. Un temps. Toi. Moi.

— Continuez, murmura Charlie.

« Poursuivez », disaient les yeux de la momie.

— Elle était, elle est, murmura le colonel, un paquet de vieilles bandes dessinées provenant des suppléments du dimanche reléguées[5] au grenier pour brûler spontanément du feu de toutes ces choses et idées oubliées. Elle est une botte de papyrus abandonnée dans un champ d'automne bien avant Moïse[6], un buisson roulant en papier mâché jailli du temps,

---

1. **Alluviales :** formées par des alluvions, les sédiments charriés par les eaux d'un fleuve.
2. **Lambris :** revêtement en bois.
3. **Lapis-lazuli :** pierre de couleur bleu azur.
4. **Dans l'expectative :** dans l'attente.
5. **Reléguées :** rejetées, mises de côté, au rebut.
6. **Moïse :** prophète et fondateur de la religion et de la nation d'Israël, il a, selon la Bible, reçu de Dieu sur le mont Sinaï les Tables de la Loi, des Dix Commandements.

par ici d'un crépuscule disparu depuis longtemps, par là d'une
535   aube revenue... peut-être une trace de nicotine à donner des
cauchemars ou un bouquet de fleurs des champs façon dra-
peau en haut d'un mât en plein midi, promettant quelque
chose, tout... une carte du Siam[1], de la source du Nil Bleu[2],
un tourbillon de poussière dans la chaleur torride du désert,
540   tous les confetti issus du poinçonnage de billets de tram définitivement perdus, cartes d'état-major jaunies partant en
lambeaux dans des dunes de sable, voyages avortés, folles
randonnées encore à rêver et à entreprendre. Son corps ?...
Mmmm... fait de... l'entassement de toutes les fleurs qui pré-
545   sidèrent à des mariages flambant neufs, à de sinistres enter-
rements, serpentins déroulés lors de défilés jusqu'au bout du
monde disparus à jamais, tickets poinçonnés pour des trains
de nuit réservés aux pharaons pris de bougeotte. Promesses
écrites, titres sans valeur, actes notariés[3] fripés. Affiches de
550   cirque... tu vois, là ? Le papier qui enveloppe une partie de
sa cage thoracique ? Des affiches arrachées à des murs de
granges à North Storm, Ohio, reparties vers le sud à Félicité[4],
Texas, ou Terre Promise, Calif-orn-i-e ! Diplômes, faire-part
de mariages, de naissances... toutes choses qui furent un jour
555   désir, espoir, premier sou en poche, dollar encadré sur le mur
du café. Papier peint roussi par le feu du regard, porteur des
projets élaborés par les yeux brûlants de garçons, filles, éter-
nels ratés, orphelines du temps disant : Demain ! Oui ! Ça
va arriver ! Demain ! Tout ce qui est mort de si nombreuses
560   nuits pour revenir à la vie, loué soit l'esprit humain, à l'aube

---

1. **Siam :** ancien nom de la Thaïlande.
2. **Nil Bleu :** nom du Nil dans la région de Khartoum, au Soudan.
3. **Notariés :** venant d'un notaire.
4. **Félicité :** nom d'une ville du Texas.

de tant de nouveaux matins ! Toutes les bêtises, toutes les ombres bizarres qui te sont passées par la tête, mon garçon, ou que j'ai biffées[1] dans la mienne à trois heures du matin. Tout ça, broyé, relégué dans un coin, et à présent converti en
565 une forme sous nos mains et ici sous nos yeux. Voilà, *voilà* ce qu'est notre vieux Roi Pharaon de la Septième Dynastie, Sa Sainte Poussière Elle-Même !

— Ouaaah, souffla Charlie.

Le colonel reprit place dans son fauteuil à bascule pour conti-
570 nuer son voyage les yeux fermés, un sourire aux lèvres.

— Colonel. Le regard de Charlie se perdit dans le futur. Et s'il se trouve, même quand je serai vieux, que je n'aie jamais besoin de ma momie à moi ?

— Comment ça ?

575 — Si j'ai une vie archi-remplie, que je ne m'ennuie jamais, trouve ce que je veux faire, le *fasse*, fasse que chaque jour compte, que chaque nuit soit formidable, si je dors bien, que je me réveille en poussant des cris de joie, que j'aie souvent l'occasion de rire, que je continue de courir vite même en
580 étant vieux, alors *quoi*, colonel ?

— Eh bien, mon garçon, tu seras un des hommes les plus chanceux que la terre ait portés !

— Parce que voyez-vous, colonel. » Charlie posa sur lui des yeux parfaitement ronds qui ne semblaient pas devoir
585 ciller[2]. « J'ai fait mon choix. Je vais être le plus grand écrivain qui ait jamais vécu.

Le colonel interrompit son balancement et chercha la flamme inoffensive dans le petit visage tourné vers lui.

---

1. **Biffées :** rayées.
2. **Ciller :** bouger d'un cil.

— Seigneur, je vois ça. Oui. Il en sera ainsi ! Eh bien, Charles,
590 quand tu seras très vieux, tu trouveras sûrement un petit gars,
pas aussi chanceux que toi, à qui donner Osiris-Ra. Ta vie
sera peut-être bien remplie, mais d'autres, perdus en chemin,
auront besoin de notre ami égyptien. D'accord ? D'accord.

Les dernières pièces du feu d'artifice étaient parties en fu-
595 mée, les derniers ballons enflammés flottaient dans la pâleur des étoiles. Les gens revenaient chez eux à pied ou en
voiture, pères ou mères portant parfois leurs enfants épui-
sés et déjà endormis. En passant devant la véranda du colonel Stonesteel, certains membres de ce défilé silencieux
600 jetaient un coup d'œil de côté et adressaient un signe de la
main au vieil homme, au garçon et au grand domestique qui
se tenait entre eux dans la pénombre. La soirée était définitivement terminée.

— Dites-m'en un peu plus, fit Charlie.

605 — Non. Le magasin est fermé. Écoute ce que Lui a à dire
maintenant. Laisse-le te conter ton futur, Charlie. Laisse-le
te lancer sur des histoires. Prêt... ?

Une petite brise vint souffler dans le papyrus desséché, s'in-
filtrer dans les vieux bandages, faire trembler les curieuses
610 mains et frémir les lèvres de leur nouveau vieil ami de quatre
mille ans, leur visiteur de la nuit, lui prêtant son murmure.

— Qu'est-ce qu'il dit, Charles ?

Charlie ferma les yeux, attendit, écouta, hocha la tête,
laissa une larme, une seule, couler le long de sa joue, et dit
615 enfin : Tout. Absolument tout. Tout ce que j'ai toujours
voulu *entendre*.

Le Dernier Cirque[1]

Jurgis Langue Rouge (nous l'appelions ainsi parce qu'il mangeait tout le temps des bonbons rouges) était planté sous ma fenêtre par un froid matin d'octobre et hurlait après la girouette au sommet de notre maison. J'ai passé la tête par la
5 fenêtre et lancé dans un nuage de vapeur :

— Salut, Langue Rouge !

— Hé ! La Bougeotte ! a-t-il fait. Amène-toi ! Le cirque !

Trois minutes plus tard je jaillissais de la maison en frottant deux pommes sur mon genou. Langue Rouge dansait
10 sur place pour se réchauffer. Nous sommes convenus que le dernier arrivé au hangar du train serait un vieux schnock.

Tout en mangeant nos pommes, nous avons traversé la ville silencieuse au pas de course.

Nous avons pris place près des rails dans le sombre hangar du
15 train et les avons écoutés bourdonner. Au loin, dans le matin froid et ténébreux de la campagne, nous le savions, le train arrivait. Son bruit passait dans le tremblement des rails. J'ai collé mon oreille dessus pour l'entendre. — Nom d'un chien, j'ai fait.

Et voilà que la locomotive fonçait soudain sur nous dans
20 une explosion de lumière et de feu et un bruit d'orage, le tout suivi d'une horde de nuages. À l'extérieur des wagons dansaient des lanternes vertes et rouges et à l'intérieur c'était un concert de grognements, de cris et de hurlements. Les élé-

---

1. **Le Dernier Cirque :** le titre original de cette nouvelle est *The last circus*. Elle est ici traduite de l'anglais par Jacques Chambon. Extrait de *À l'ouest d'octobre*.

phants descendirent, les cages déboulèrent et tout se mé-
25 langea jusqu'à ce qu'hommes et animaux se lancent dans la
traversée de la ville aux premières lueurs du jour, Langue
Rouge et moi avec eux, pour gagner les prés où chaque brin
d'herbe était un morceau de cristal[1], où chaque buisson pleu-
vait au moindre attouchement.

30 — Pense un peu, L.R., j'ai dit. Il y a une minute il n'y avait
rien ici que la cambrousse[2]. Et regarde un peu *maintenant*.

On a regardé. Le grand chapiteau s'est épanoui comme
une de ces fleurs japonaises quand on les trempe dans l'eau.
Des lumières se sont mises à clignoter. En une demi-heure il
35 y avait des crêpes en train de cuire quelque part et des gens
en train de rire.

On est restés là à contempler le spectacle. J'ai mis une main
sur ma poitrine et senti mon cœur cogner contre mes doigts
comme un de ces soulève-assiette que l'on peut se procurer
40 pour trois fois rien dans un magasin de farces et attrapes. Je
n'avais envie que de voir et de sentir.

— Retour à la maison pour le petit déjeuner ! a crié L.R. en
me bousculant, de sorte qu'il a pris de l'avance au départ.

— Range ta langue et va te laver la figure, a dit Man en
45 relevant les yeux de son fourneau.

— Des crêpes ! j'ai fait, sidéré par son intuition.

— Comment était le cirque ? Papa a abaissé son journal
pour me regarder par-dessus.

— Super ! j'ai fait. Wouah !

---

1. **Chaque brin d'herbe était un morceau de cristal :** sous l'effet de la
rosée, l'herbe ressemblait à du cristal.
2. **La cambrousse :** familièrement, la campagne déserte.

50 Je me suis lavé la figure au robinet d'eau froide et j'ai dégagé ma chaise juste au moment où Man posait les crêpes sur la table. Elle m'a fait passer le pichet de sirop[1]. Arrose-les bien, a-t-elle dit.

Pendant que je mastiquais, Papa a rectifié la position du journal dans ses mains et soupiré :

55 — Je me demande vraiment où on va.

— Tu ne devrais pas lire le journal le matin, a dit Man. Ça te coupe la digestion.

— Regardez-moi ça, s'est emporté Papa en donnant une chiquenaude[2] au journal. Armes bactériologiques, bombe
60 atomique, bombe à hydrogène. Il n'est question *que* de ça !

— Personnellement, a dit Man, j'ai une grosse lessive à faire cette semaine.

Papa s'est renfrogné[3].

— Voilà ce qui ne va pas en ce monde ; des gens qui sont
65 sur une poudrière et qui font leur lessive. Il s'est redressé et penché en avant. Tenez, c'est ce qu'on dit ici ce matin, ils ont une nouvelle bombe atomique capable de rayer Chicago de la carte. Quant à notre ville... il n'en resterait qu'un petit pâté. Si vous voulez mon avis, c'est une honte.

70 — Quoi donc ? j'ai demandé.

— Il nous a fallu un million d'années pour en arriver où nous sommes. Nous avons construit des villes, construit des cités là où il n'y avait rien. Tiens, il y a cent ans, cette ville n'existait pas. Il en a fallu du temps, de la sueur et de la
75 peine, et maintenant que toutes les briques sont bien empilées les unes sur les autres, qu'est-ce qui arrive ? BANG !

---

1. **Sirop :** sirop d'érable.
2. **Une chiquenaude :** une pichenette.
3. **S'est renfrogné :** a témoigné son mécontentement par une grimace du visage.

— Je parie que ça ne nous arrivera pas, j'ai dit.

— Non ? Papa a laissé échapper un grognement. Pourquoi ça ?

80 — Ça *ne se peut pas,* tout simplement.

— Arrêtez un peu, vous deux. Man m'a adressé un mouvement du menton. Toi, tu es trop jeune pour comprendre. Autre mouvement du menton, cette fois en direction de Papa. Et toi, tu es trop vieux pour avoir tout ton bon sens.

85 Nous avons mangé en silence. Puis j'ai demandé à Papa :

— Qu'est-ce qu'il y avait ici à la place de la ville ?

— Rien du tout. Le lac et les collines, et c'est tout.

— Des Indiens ?

— Pas beaucoup. Des forêts et des collines désertes, c'est 90 tout.

— Faites passer le sirop, a dit Man.

— Braoum ! a beuglé L.R. Je suis une bombe atomique ! Boum !

Nous faisions la queue devant l'Élite[1]. C'était le plus beau 95 jour de l'année. Nous avions porté des caisses de boissons au cirque toute la matinée pour gagner nos billets d'entrée. Et maintenant, l'après-midi, à nous les cow-boys et les Indiens sur l'écran de cinéma, et ce soir, le cirque ! Nous nous sentions riches et n'arrêtions pas de rire. L.R. continuait de lou-100 cher au centre de son anneau nucléaire en hurlant :

— Vouf ! Te voilà désintégré !

Des cow-boys poursuivirent des Indiens sur l'écran. Une demi-heure plus tard les Indiens poursuivaient les cow-boys dans l'autre sens. Quand tout le monde en a eu assez de ca-

---

1. **L'Élite** : nom de la salle de cinéma.

105 valer, le dessin animé a pris le relais, suivi des actualités.

— Regarde, la bombe atomique ! L.R. s'est tenu tranquille pour la première fois.

Le gros nuage gris s'est élevé sur l'écran, a explosé, des cuirassés et des croiseurs[1] se sont éventrés et il s'est mis à pleuvoir.

110 L.R. m'agrippait le bras, les yeux fixés sur l'embrasement[2] blanc.

— C'est pas quelque chose, hein, Doug ?

— Sûr que c'est vachement chouette, j'ai pouffé en lui rendant son coup de coude. J'aimerais bien avoir une bombe ato-

115 mique ! Boum, adieu l'école !

— Bam ! Au revoir, Clara Holmquist !

— Bang ! Adieu, m'sieur l'agent O'Rourke !

À dîner il y avait des boulettes de viande à la suédoise[3], des petits pains chauds, de la purée de haricot et de la salade verte.

120 Papa, l'air très sérieux et un rien bizarre, essayait de rapporter je ne sais quels faits scientifiques de première importance qu'il avait lus dans une revue, tandis que Man secouait la tête.

J'ai observé Papa.

— Tu te sens bien, Pa ?

125 — Je vais faire annuler notre abonnement au journal, a dit Man. À te tracasser comme ça, tu vas droit vers l'ulcère[4]. Tu m'entends, Pa ?

— Oh ! la la ! j'ai dit, le film que j'ai vu ! La bombe atomique a fait sauter tout un cuirassé à l'Élite.

---

1. **Des cuirassés et des croiseurs :** des bateaux de guerre.
2. **Embrasement :** feu, incendie.
3. **Des boulettes de viande à la suédoise :** boulettes de viande cuites avec des oignons, de la crème, du persil et accompagnées de pommes de terre.
4. **Ulcère :** irritation et déchirure des muqueuses de l'estomac.

130 Papa a laissé tomber sa fourchette et a rivé son regard sur
moi.

— Il y a des fois, Douglas, où tu as l'étrange don de dire exactement ce qu'il ne faut pas au moment où il ne faut pas.

J'ai vu Man loucher vers moi pour attirer mon attention.

135 — Il est tard, a-t-elle dit. Tu ferais bien de te dépêcher
d'aller au cirque.

Comme je prenais ma casquette et mon manteau, j'ai entendu Papa déclarer d'une voix grave et pensive :

— Et si on vendait l'affaire ? Tu sais, on a toujours eu envie
140 de partir en voyage ; d'aller au Mexique par exemple. Dans
une petite ville. Où on pourrait s'installer.

— Tu parles comme un enfant, a murmuré Man. Je ne veux
pas t'entendre continuer dans cette voie.

— Je sais que c'est idiot. Ne fais pas attention. Mais tu as
145 raison ; il vaut mieux faire annuler cet abonnement.

Le vent faisait plier les arbres, les étoiles étaient toutes
de sortie et le cirque se dressait dans le pré au milieu des
collines comme un énorme champignon. Langue Rouge et
moi avions du pop-corn dans une main, des bonbons au
150 caramel dans l'autre, et de la barbe à papa sur le menton.

— Admirez le vénérable vieillard ! criait L.R.

Tout le monde parlait et se bousculait sous la vive lumière
des ampoules et un homme frappait une toile peinte avec une
canne en bambou en vociférant son boniment sur Le Squelette,
155 La Femme-Baleine, L'Homme illustré, l'Enfant-Phoque, tandis
que L.R. et moi jouions des coudes[1] en direction de la dame
qui déchirait les billets.

---

1. **Jouions des coudes :** « jouer des coudes » signifie écarter les gens avec
les coudes pour se frayer un passage.

Nous avons joué les équilibristes pour gagner les sièges en lattis[1] et nous nous sommes assis au moment où, dans
160 une explosion de grosses caisses, les éléphants festonnés[2] de pierreries quittaient lourdement la piste. Et à partir de là, dans la chaleur torride des projecteurs, quel spectacle ! Jaillissements d'hommes-obus, femmes suspendues par les dents qui jouaient les papillons tout là-haut, dans les nua-
165 ges de fumée de cigarette, tandis que des trapézistes allaient et venaient au milieu de leurs agrès, lions qui trottaient en rond dans la sciure de leur cage pendant que le dompteur en pantalon blanc lâchait sur eux flammes et fumée à l'aide d'un pistolet d'argent. « Regarde ! » hurlions-nous, L.R. et moi,
170 clignant des paupières devant ceci, écarquillant les yeux de-vant cela, gloussant, poussant des oh ! et des ah ! sidérés, in-crédules, surpris, et ravis à ne plus pouvoir en respirer. Des chariots roulaient à toute allure autour de la piste, des clowns se jetaient du haut d'hôtels en flammes, se faisaient brusque-
175 ment pousser des cheveux, se transformaient de géants en nains dans un caisson à vapeur. L'orchestre donnait du tam-bour, de la trompette et du trombone, et ce n'était partout que couleur, chaleur, flamboiement de sequins[3] et tonnerres d'applaudissements.
180   Mais vers la fin du spectacle j'ai levé les yeux. Et là, derrière moi, j'ai remarqué un petit trou dans la toile de tente. Et par ce trou je pouvais voir la vieille prairie, le vent qui soufflait dessus et les étoiles qui brillaient toutes seules dehors. Le vent froid exerçait une légère traction[4] sur le chapiteau. Et tout à

---

1. **En lattis :** faits avec des lattes de bois.
2. **Festonnés :** ornés de guirlandes.
3. **Sequins :** anciennes monnaies d'or (évidemment fausses, ici).
4. **Traction :** tension.

185 coup, tournant ainsi le dos au déchaînement général, j'ai eu froid moi aussi. J'entendais Langue Rouge rire à côté de moi et j'ai vaguement vu des hommes qui faisaient avancer une moto argentée tout là-haut, sur un fil archi-mince, tandis que le tambour à timbre y allait de son roulement au milieu du

190 silence de l'assistance. Et quand ce fut terminé il y avait deux cents clowns qui se donnaient de grands coups de batte sur la tête et Langue Rouge qui tombait presque de son siège tellement ça le faisait hurler. Je suis resté là sans bouger et L.R. a fini par se tourner vers moi. Il m'a regardé et a dit :

195 — Hé ! qu'est-ce qui ne va pas, Doug ?

— Rien, j'ai fait. Je me suis ébroué. J'ai levé les yeux vers les grands poteaux rouges du cirque, les rangées de cordes et les lumières éblouissantes. J'ai regardé les clowns pommadés et je me suis forcé à rire.

200 — Hé ! L.R., vise un peu le gros là-bas !

L'orchestre a joué *La vieille jument grise n'est plus ce qu'elle était.*

— C'est fini, a dit Langue Rouge à bout de souffle.

Nous sommes restés assis pendant que les autres, tous ces

205 milliers de gens étourdis, sortaient en marmonnant, riant, se bousculant. Le chapiteau était bourré de fumée de cigare et les instruments de musique, abandonnés pour quelque temps, reposaient sur l'estrade de bois où l'orchestre avait fait déferler sur nous les vagues de ses cuivres.

210 Nous ne bougions pas parce qu'aucun de nous deux ne voulait que ce soit fini.

— On ferait peut-être bien d'y aller, a dit L.R. sans amorcer le moindre mouvement.

— Attendons, j'ai fait d'une voix sans timbre[1], les yeux dans
215 le vide. Je me sentais les fesses douloureuses sur le lattis de
bois après ces longues et étranges heures de musique et de
couleur. Des hommes culbutaient les chaises pour qu'elles
se replient les unes dans les autres, prêtes à être emportées.
On décrochait les pièces de toile. Ce n'était partout que cli-
220 quetis, claquements et entrechoquements du cirque en train
de partir en morceaux.

Le chapiteau était vide.

Et nous voilà au milieu de la prairie, avec le vent qui nous
soufflait de la poussière dans les yeux, les feuilles qui s'en-
225 volaient des arbres. Et le vent emportait toutes les feuilles
mortes et tous les gens électrisés. Les ampoules des attractions se sont éteintes. Nous sommes montés au sommet
d'une colline voisine et sommes restés là dans les ténèbres
venteuses, claquant des dents, à regarder les lumières bleues
230 s'éloigner dans le noir, les formes blanches et flottantes des
éléphants, et à écouter le bruit des hommes qui juraient et
des piquets qu'on arrachait. Et puis, tel un immense soufflet
poussant un soupir, ce fut au tour du grand chapiteau de se
poser à terre.

235 Une heure plus tard la route de gravier s'animait au passage des voitures, camions et cages dorées. La prairie vide
s'étendait dans toute sa pâleur. La lune se levait et du givre se
formait sur chaque chose humide. L.R. et moi sommes lentement redescendus de notre poste d'observation ; la prai-
240 rie sentait la sciure.

— C'est tout ce qui reste, a dit Langue Rouge. De la
sciure.

---

1. **Sans timbre :** éteinte.

— Tiens, un trou de piquet, j'ai dit en l'indiquant du doigt. Et encore un autre.

245 — On ne se douterait jamais que tout ça était là, a remarqué L.R. C'est comme un truc qui se serait passé dans nos têtes.

Nous regardions les arbres noirs secoués par le vent qui balayait la prairie. Il n'y avait pas de lumière, pas un bruit ; 250 même les odeurs du cirque avaient fini par s'envoler.

— Bon, a fait L.R. en frottant ses chaussures l'une contre l'autre. On va se faire drôlement sonner les cloches si on n'est pas à la maison *au début de l'heure qui vient de s'écouler !* Il a souri.

255 Nous sommes repartis le long de la petite route solitaire, le vent sur notre dos, les mains enfoncées dans les poches, la tête basse. Nous avons longé les profondeurs silencieuses du ravin, puis enfilé les petites rues de la ville, passant devant des maisons où une radio jouait parfois en sourdine, et 260 ce fut la stridulation d'un dernier grillon et le martèlement de nos talons sur les briques inégales au milieu de la grand-rue, sous la faible lueur des lampes à arc[1] qui oscillaient à chaque carrefour.

Je regardais toutes les maisons, toutes les clôtures, tous 265 les toits en pente et toutes les fenêtres éclairées, je regardais chaque arbre et chaque brique sous mes pieds. Je regardais mes chaussures et jetais de temps en temps un coup d'œil vers L.R. qui se traînait à côté de moi en claquant des dents. Et j'ai vu l'horloge du palais de justice à plus d'un kilomètre 270 de distance, sa face blême et humide se détachant au clair de

---

1. **Lampes à arc :** système procurant de la lumière à l'aide d'électricité sous forme d'un arc électrique.

lune sur la masse noire des bâtiments municipaux. « B'nuit, Doug. » Je n'ai pas répondu ; L.R. a continué le long de la rue et disparu un peu plus loin au coin d'une maison.

J'ai grimpé les escaliers à pas de loup et, une minute plus tard, j'étais au lit, en train de regarder la ville par la fenêtre.

Mon frère Skip a dû m'entendre pleurer un long moment avant que sa main ne vienne se poser sur mon bras.

— Qu'est-ce qui ne va pas, Doug ? m'a-t-il demandé.

— Rien. Je sanglotais doucement, les yeux fermés. C'est seulement le cirque.

Skip a attendu. Le vent soufflait autour de la maison.

— Eh bien, quoi, le cirque ?

— Rien... sauf qu'il ne reviendra plus.

— Mais si.

— Non, il est parti. Et il ne reviendra plus. Tout a disparu là où il était, il n'en reste rien.

— Allez, essaie de dormir. Skip s'est retourné de l'autre côté.

Je me suis arrêté de pleurer. Quelque part, de l'autre côté de la ville, quelques fenêtres brillaient encore. À la gare, une locomotive a sifflé, démarré et s'est élancée entre les collines.

J'ai attendu dans l'obscurité, retenant ma respiration, tandis qu'au loin, sans un bruit, les minuscules fenêtres des petites maisons s'éteignaient une à une.

POUR
APPROFONDIR

Clefs de lecture

Un coup de tonnerre (p. 12-34)

Action et personnages

1. De quelles précautions s'entoure la société organisatrice de la chasse aux dinosaures ?

2. Pourquoi le *Tyrannosaurus rex* est-il pris pour gibier ?

3. De quelle faute Eckels se rend-il coupable ?

4. Qui a gagné les élections présidentielles ?

5. Qu'est-ce qui a changé au retour des chasseurs dans leur « présent » ?

6. Comparez les deux écriteaux publicitaires de la Société. Quelles différences constate-t-on ? Pourquoi ces différences ?

Genre ou thèmes

7. La « machine à remonter le temps » relève de la fiction la plus pure. Qu'est-ce qui rend pourtant son fonctionnement crédible pour le lecteur ? Comment est exprimée la remontée dans le passé ?

8. Comment la monstruosité du dinosaure est-elle décrite ?

9. Comment Travis explique-t-il la chaîne du vivant, qui va des souris à l'homme ?

10. Lequel, du dinosaure ou du papillon, est le plus important ? Pourquoi ?

11. Quels éléments du récit se rapprochent le plus du fantastique ?

12. Quels éléments du récit présentent un aspect réaliste ?

Écriture

13. Eckels est saisi d'une peur panique. Étudiez les champs lexicaux exprimant cette peur.

14. Décrivez à votre tour un animal préhistorique, en vous inspirant par exemple d'une bande dessinée.

 À retenir

La **science-fiction** commence là où s'arrêtent (à un instant T) les connaissances scientifiques et les possibilités techniques. Elle est une **anticipation** plausible. Sinon, elle relève de la plus pure **fiction**. Le **fantastique** se situe, lui, entre le **réel** et l'**imaginaire**, sans que le lecteur puisse savoir s'il est toujours dans le réel ou déjà dans l'imaginaire.

Clefs de lecture

Ils avaient la peau brune et les yeux dorés (p. 35-61)

Action et personnages

1. Qui sont les Bittering ?

2. Quand a débuté la colonisation de Mars ? Quelles formes prend-elle ?

3. Quelle est la durée de l'action ? Quels éléments permettent de la préciser ?

4. Pourquoi les Bittering réagissent-ils différemment des autres Terriens installés sur Mars ?

5. Qui sont les Martiens ?

Genre ou thèmes

6. Comment la planète Mars est-elle décrite ?

7. Quels phénomènes étranges finissent par s'y produire ?

8. Observez le mélange d'indications très réalistes, donc en principe vraisemblables, et d'anticipation. Donnez quelques exemples de ce mélange. Pourquoi est-il indispensable ?

9. Dans quelle mesure cette nouvelle modernise-t-elle le mythe du paradis terrestre ?

Écriture

10. Prolongez la nouvelle en décrivant ce que peut bien penser le lieutenant qui a son « regard perdu très loin, vers les montagnes bleues, qu'enveloppe un léger brouillard ».

11. Imaginez les réactions d'un « vrai » Martien voyant des Terriens débarquer sur sa planète.

 ## À retenir

Toute **anticipation** ou toute science-fiction se doit de conserver un minimum de **vraisemblance**. Est vraisemblable ce qui a l'**apparence du vrai**, mais qui, par définition, ne l'est pas. Ce sont souvent de petits détails concernant les gestes, les occupations ou les préoccupations des personnages qui introduisent ce vraisemblable. Pour l'auteur, il s'agit de **créer l'illusion du « comme si »** : « comme si c'était vrai ».

Pour approfondir

Clefs de lecture

Le Cadeau (p. 62-65)

Action et personnages

1. Où et quand se déroule l'action ? Relevez les indications temporelles et géographiques qui permettent de le préciser ?

2. Quels éléments font de ce voyage interplanétaire un voyage comme un autre ?

3. Quelle est la destination finale de ce voyage ? En quoi est-elle particulière ? En quoi pourrait-elle rendre incongrue, bizarre, la célébration de Noël ?

4. Quel « cadeau » de Noël le père offre-t-il à son fils ? Comment exauce-t-il le souhait de son fils ?

Langue

5. Précisez le sens des mots suivants : « altercation » (l. 12), « méridien » (l. 32), « pont supérieur » (l. 37).

6. Analysez les formes verbales suivantes : « fût » (l. 5), « fît » (l. 51). Justifiez leur emploi.

7. Recherchez les verbes qui sont au conditionnel présent. Tous n'ont pas la même valeur. Pourquoi ?

8. Repérez et analysez les propositions subordonnées relatives.

Écriture

9. Décrivez l'émerveillement de l'enfant devant le spectacle du cosmos.

10. Observez comment le père entretient le mystère sur ses intentions.

11. Pourquoi le mot « jour » (l. 31) est-il entre guillemets ? Quelle est leur fonction traditionnelle ? Est-elle ici respectée ?

12. Pourquoi ce récit d'anticipation est-il écrit au passé ?

 ## À retenir

L'imparfait, le passé simple et le plus-que-parfait sont les temps traditionnels du récit. L'**imparfait** sert alors à **décrire** (un paysage, un intérieur de maison...), à suggérer une répétition ou une certaine durée. Le **passé simple** traduit une **action brève et révolue**. Le **plus-que-parfait** situe une **action passée antérieure** à une autre action passée. Présent et futur ne peuvent se rencontrer que dans les dialogues.

Clefs de lecture

La Fusée (p. 66-80)

Action et personnages

1. Quelle est la profession de Bodoni ? Quelle est sa situation familiale et financière ?

2. Qui est Bramante ?

3. Quelles difficultés soulève le fait qu'un seul membre de la famille Bodoni puisse aller vraiment sur Mars ?

4. Pourquoi les Bodoni déclinent-ils tous, les uns après les autres, l'offre d'un tel voyage ?

5. Qu'est-ce qui fait croire aux enfants qu'ils effectuent réellement ce voyage vers Mars ?

6. Pourquoi la femme de Bodoni demande-t-elle finalement à effectuer ce voyage, alors qu'elle sait qu'il s'agit d'un faux voyage ?

Genre ou thèmes

7. Comment se manifeste la fascination que l'espace exerce sur Bramante, Bodoni et sur les enfants ?

8. Dans quelle mesure peut-on parler d'une satire du progès technique ?

9. Dans quelle mesure peut-on parler d'une satire sociale ?

10. Relevez ce qui peut servir d'arguments en faveur du rêve.

11. Relevez ce qui peut servir d'arguments contre le fait de rêver.

12. Étudiez le traitement du temps (la manière dont le passé et le futur sont évoqués) et de la durée.

Écriture

13. Imaginez et décrivez les « artifices magiques » (l. 286) dont Bodoni se sert pour créer l'illusion du voyage.

14. De retour dans leur école, les enfants racontent leur voyage. Imaginez les réactions de leurs camarades.

 ## À retenir

En littérature, une **satire**, à l'origine, est un **poème** dans lequel un écrivain tourne en **ridicule** ses contemporains : par exemple, *Les Satires* de Boileau (1666). Par extension, elle peut être en prose. Son ton est **comique**, **humoristique** ou très **violent**. Aujourd'hui, on appelle satire toute **critique** d'une personne ou des mœurs d'une société.

Clefs de lecture

L'Authentique Momie égyptienne faite maison du colonel Stonesteel
(p. 81-104)

Action et personnages

1. Qui est Charlie ?

2. Quel marché le colonel Stonesteel propose-t-il à Charlie ?

3. Avec quels matériaux la momie est-elle fabriquée ?

4. Quel métier Charlie désire-t-il exercer plus tard ? Pourquoi ? Quels sont les rapports entre ce métier et la momie ?

5. Quel rôle joue le colonel auprès de Charlie ?

6. Pourquoi la supercherie du colonel n'est-elle pas immédiatement découverte ? Qu'est-ce qui devrait pourtant rendre les habitants méfiants à l'égard de cette découverte ?

Genre ou thèmes

7. La découverte de la momie provoque une agitation croissante dans la petite ville de Green Town. Repérez les différents moments de cette progression de l'agitation.

8. Relevez les principaux procédés comiques.

9. Bien qu'elle ne soit qu'une gigantesque farce, la nouvelle prend sur la fin une signification symbolique. Laquelle ?

10. En quoi consiste la satire sociale ? Et en quoi cette satire est-elle différente de la satire sociale présente dans *La Fusée* ?

Écriture

11. « Il va se triturer les méninges et inventer une belle histoire », dit le colonel à propos du shérif. Racontez cette « belle histoire ».

12. Rédigez le discours que prononce le maire de la ville.

 ## À retenir

Il existe plusieurs sortes de comique : le **comique de mots** (calembours, jurons...), le **comique de gestes** (bastonnades, actes manqués...), le **comique de situation** (le voleur volé), le **comique de caractère** (l'avare par exemple) et le **comique de l'absurde** (qui est contraire au bon sens). Un auteur peut jouer sur ces différentes formes pour faire sourire son lecteur.

Clefs de lecture

Le Dernier Cirque (p. 105-115)

Action et personnages

1. Qui parle ?

2. Quelle différence de caractère existe-t-il entre Doug et Langue Rouge ?

3. Quels rapports Doug entretient-il avec ses parents ?

4. Pourquoi Doug concentre-t-il de moins en moins son attention sur le spectacle ?

5. Pourquoi les deux amis montent-ils, en pleine nuit, sur le sommet de la colline ?

6. Pourquoi Doug pleure-t-il ?

7. Pourquoi Langue Rouge, lui, ne pleure-t-il pas ?

8. Comparez les deux adolescents que sont Doug et Charlie (dans *L'Authentique Momie...*).

Langue

9. Analysez le champ lexical du bruit.

10. Relevez une expression de la cause.

11. Relevez deux façons d'exprimer la manière (adverbe, complément circonstanciel).

12. Analysez la nature de la phrase suivante : « J'ai mis une main sur ma poitrine [...] farces et attrapes » (l. 37-40).

13. Pourquoi certains mots ou membres de phrase sont-ils écrits en italiques ?

Écriture

14. Rédigez la lettre que le père écrit au journal pour annuler son abonnement.

15. Décrivez à votre tour vos réactions à un spectacle (quel qu'il soit) auquel vous avez assisté.

 ## À retenir

Il importe de toujours distinguer l'**auteur** (d'un roman, d'une nouvelle...) du **narrateur**, qui assume la charge du récit. C'est seulement dans une **autobiographie** que les deux notions se confondent absolument. Dans tous les autres cas, il convient de se poser la question : qui parle ? Est-ce un personnage ? un narrateur invisible, mais **omniscient** ? la réponse n'est jamais automatique.

Genre, action, personnages
Genres et registres

La nouvelle de science-fiction est d'abord une nouvelle. Il convient donc d'en connaître les caractéristiques principales. La nouvelle est un genre ancien qui remonte au XVᵉ siècle. Mais ce n'est qu'au XIXᵉ siècle qu'elle prend son vrai visage.

La nouvelle : un court récit en prose

La nouvelle peut aller de quelques lignes à quelques pages. Sa brièveté tient historiquement à son mode de publication. Comme, au XIXᵉ siècle, elle paraissait dans la presse quotidienne, la place que lui accordaient les journaux était nécessairement limitée. La tradition s'est depuis perpétuée. Ray Bradbury a très souvent publié ses nouvelles dans des revues ou des magazines avant que lui-même ou un éditeur ne les regroupe en recueils. Les personnages d'une nouvelle sont en conséquence peu nombreux. L'intrigue reste centrée sur un seul événement. Et, pour maintenir l'intérêt dramatique, le dénouement est toujours surprenant. Genre souple, la nouvelle s'adapte à toutes les esthétiques. Il en est de réalistes, d'historiques et de politiques, de fantastiques, de policières. Et il en est de science-fiction.

Naissance et essor de la science-fiction

La science-fiction naît aux États-Unis à la fin du XIXᵉ siècle pour connaître un véritable âge d'or à partir des années 1930. En France existait alors une « littérature d'anticipation scientifique ». Jules Verne (1828-1905) en a été le grand initiateur, avec des œuvres comme *De la Terre à la Lune* (1865) ou *Vingt Mille Lieues sous les mers* (1877). Mais, bien qu'elle fût populaire, cette littérature a souvent été décriée ou ravalée au rang de littérature enfantine, ce qui était une autre façon de la mépriser. Une évolution se produit toutefois au cours des années 1960, grâce au cinéma et à des œuvres à succès comme *La Planète des singes* (1963) de Pierre Boulle. Le terme de « science-fiction », d'origine américaine, remplace alors définitivement celui d'« anticipation scientifique ». Le genre se développe et se diversifie. Pratiqué par des écrivains de talent, il possède aujourd'hui ses lettres de noblesse.

Genre, action, personnages

Définitions de la science-fiction

Le genre est si varié qu'il en existe plusieurs. Pour certains, la science-fiction doit nécessairement s'appuyer sur les acquis scientifiques et techniques d'une époque afin de pouvoir aller au-delà de leurs limites. Au-delà de ces limites, c'est évidemment le royaume de l'imagination. Mais cette liberté créatrice de l'auteur s'épanouit sur un substrat solide, réel. Puisque, par exemple, l'homme est allé sur la Lune (en 1969) et qu'il envisage une expédition sur Mars, la science-fiction va imaginer ce que serait, ce que sera cette expédition. Des nouvelles comme *Le Cadeau* et, plus encore, *Ils avaient la peau brune...* appartiennent à cette veine. On dit alors communément que la science-fiction est le possible de la science ou (peut-être) le futur de la science. Pour d'autres, de tempérament plus romanesque, il suffit de situer dans un ailleurs lointain, temporel ou géographique, des événements techniquement ou historiquement impossibles. *Un coup de tonnerre* entre dans cette dernière catégorie, dans la mesure où il n'existe pas (pas encore ?) de « machine à remonter le temps ».

Le registre pathétique

Est pathétique tout ce qui a trait à la souffrance physique ou morale, et qui suscite en conséquence chez le lecteur un sentiment de malaise ou d'émotion douloureuse. La peur d'Eckels, qui confine à la lâcheté (*Un coup de tonnerre*), l'inquiétude d'Harry Bittering (*Ils avaient la peau brune...*) suscitent ce genre de réaction. Dans *La Fusée*, le pathétique provient de la condition sociale de Bodoni, souffrant d'être trop pauvre pour offrir à ses enfants le voyage de leur vie. Et comment ne pas comprendre et plaindre Doug pleurant après la magie d'un spectacle de cirque à jamais disparu ?

Le registre du merveilleux

Le « merveilleux » possédant plusieurs sens, précisons qu'il est ici employé dans son sens le plus courant et le plus large d'« émerveillement ». L'espace fascine souvent les personnages de Bradbury. C'est sur la vision féerique de milliards d'étoiles que s'achève *Le Cadeau*. Bodoni sort la nuit pour contempler « les fontaines de feu qui chuchotaient

Genre, action, personnages

dans le firmament, les fusées emportées sur leurs violentes trajectoires vers Mars, Saturne ou Vénus » *(La Fusée)*. Plus terre à terre, mais tout aussi porteur de rêves, le cirque enthousiasme Doug et Langue Rouge, « sidérés, incrédules, surpris, et ravis à ne plus pouvoir en respirer ».

Le registre de l'extraordinaire et de l'étrange

Ces deux termes sont préférables à celui de « fantastique » qui désigne un genre très particulier, à mi-chemin du réel et du surnaturel. L'apparition, la description et la mort du *Tyrannosaurus rex* constituent un épisode prodigieux : « Dans tous les replis de sa peau, la boue gluante fumait et de petits insectes y grouillaient de telle façon que le corps entier semblait bouger et onduler même quand le Monstre restait immobile. » L'étrange, lui, se produit quand les Bittering se mettent soudain à parler le martien (qu'ils n'ont pourtant jamais appris), qu'ils rajeunissent, qu'ils se comportent comme des Martiens, qu'ils deviennent, eux, d'anciens Terriens venus coloniser Mars, des Martiens *(Ils avaient la peau brune...)* !

Le registre comique

Il est surtout présent dans *L'Authentique Momie égyptienne faite maison du colonel Stonesteel*. Comme l'indique le titre, la nouvelle relate une vaste supercherie, une grande et grosse farce. Le comique provient des réactions des « gens de Green Town » qui, dupés, prennent le faux pour le vrai. Leur naïveté et leur crédulité vont croissant. Le shérif, ivre il est vrai, finit par croire que la momie bouge puis s'envole ! Comme Charlie et le colonel, le lecteur ne peut que sourire de ce bon tour.

Le registre tragique et sérieux

Comme souvent chez Bradbury, les nouvelles possèdent un arrière-plan très grave. C'est une guerre atomique qui, détruisant sur la Terre toutes les fusées, bloque les Bittering sur Mars. Les immenses progrès techniques ne s'accompagnent pas, par ailleurs, des mêmes progrès sociaux ni ne font reculer la pauvreté *(La Fusée)*. Deutcher, le nouveau président élu, passe pour un dictateur de sombre espèce *(Un coup de tonnerre*). Cette dernière nouvelle suscite la réflexion, en illustrant ce que peut être « l'effet papillon », qui consiste à dire que tout événement, même le plus infime, peut avoir, à des années ou des milliers de kilomètres de distance, des effets incalculables. Littérature de divertissement, la science-fiction n'en est pas moins, à tous égards, un genre sérieux.

Action et personnages

Le schéma narratif des nouvelles est très traditionnel. Il s'organise en trois phases essentielles : une situation initiale ; des péripéties qui la modifient ; et un dénouement qui la conclut.

Une situation initiale en forme d'énigme

Brève, la nouvelle doit presque tout de suite susciter la curiosité du lecteur. Aussi soulève-t-elle fréquemment une question, implicite ou explicite. Les chasseurs reviendront-ils vivants de la préhistoire *(Un coup de tonnerre)* ? Les Terriens s'acclimateront-ils sur Mars *(Ils avaient la peau brune...)* ? Comment respecter les traditions de Noël lors d'un voyage interplanétaire *(Le Cadeau)* ? Comment réussir à aller sur Mars avec une maquette de fusée en aluminium *(La Fusée)* ? La supercherie de la momie réussira-t-elle, et jusqu'à quel point ? Pourquoi est-ce le « dernier cirque » ?

Rebondissements et péripéties

La réponse à ces questions passe, selon la longueur de la nouvelle, par un ou plusieurs rebondissements. Dans *Le Cadeau* comme dans *La Fusée*, une ingénieuse mise en scène rend possible ce qui ne l'était pas de prime abord. Les étoiles remplacent les bougies ; et l'illusion du voyage se substitue au voyage lui-même. Le déroulement de l'action se confond avec la mise en œuvre de cette ingéniosité.

Un coup de tonnerre multiplie les péripéties, dont voici les principales : le retour dans le passé, l'apparition et la mort du dinosaure, l'imprudence coupable d'Eckels, le retour dans un présent modifié par cette imprudence, l'assassinat d'Eckels. Et dans *Ils avaient la peau brune...* : l'arrivée sur Mars, l'impossible retour sur la Terre, l'acclimatation forcée

Genre, action, personnages

sur la planète rouge, la lente métamorphose des Terriens en Martiens. *L'Authentique Momie égyptienne...* montre la fabrication de la momie, l'accueil, toujours plus délirant, que lui réserve la population, la réussite au-delà de toute espérance de la farce conçue et jouée par Charlie et le colonel. Quant au *Dernier Cirque*, l'action suit un strict déroulement chronologique : l'ennui sans le cirque, l'arrivée et l'installation du cirque, la description du spectacle, le démontage du cirque et le retour à un ennui d'autant plus douloureux qu'il fut un instant oublié.

Des dénouements pleins de surprises

Qu'elle soit ou non de science-fiction, la nouvelle doit s'achever sur une conclusion inattendue. C'est l'une des caractéristiques du genre. Cet imprévu peut être heureux, comme dans *Le Cadeau* ou *La Fusée*. Il peut se révéler tragique, comme dans *Un coup de tonnerre :* dans un ultime retournement de situation, Eckels qui avait peur que le dinosaure ne le tue est abattu par le guide. Plus inattendue encore est la fin de *Ils avaient la peau brune* : les Terriens se muent progressivement en Martiens ; et la nouvelle se termine de la même façon qu'elle a commencé : par l'étonnement des nouveaux arrivés de ne rencontrer personne ! A priori surgie du plus lointain passé égyptien, la momie est en réalité « faite » des papiers, tickets et documents de toutes sortes de la vie passée du colonel, de sa famille ou de ses contemporains ! Et, si son rêve de devenir un grand écrivain se réalise un jour, Charlie jouera auprès d'un adolescent qui un jour s'ennuiera le même rôle que le colonel a joué auprès de lui. C'est une transmission de pouvoir et de devoir. Quant au *Dernier Cirque*, le lecteur s'attend à ce que la nouvelle se termine sur la féerie du spectacle ; c'est l'inverse qui se produit : le cirque s'en va, laissant Doug à sa nostalgie et à ses sanglots.

La galerie des pères

À l'exception du *Coup de tonnerre*, toutes les nouvelles campent des pères. Leur fonction dans le récit importe plus que leur identité : preuve en est qu'ils n'ont pas toujours de nom propre. Les pères du *Cadeau* et de *La Fusée* sont avant tout soucieux du bonheur de leurs enfants. L'un offre à son fils les plus belles illuminations de Noël qui soient en lui faisant admirer, par le hublot de la fusée, le scintillement

Genre, action, personnages

de milliards d'étoiles. L'autre réussit, à force d'ingéniosité, à faire croire à ses enfants qu'il les emmène vraiment sur Mars. Le père de *Ils avaient la peau brune…* se veut davantage protecteur. Tous sont des pères bienveillants, dont les trouvailles sont à l'origine de l'action. À l'opposé, le père du *Dernier Cirque* est trop accaparé et accablé par la lecture des journaux pour se préoccuper de ses enfants : non qu'il soit méchant, mais il est comme ailleurs. Le colonel Stonesteel est un cas à part. Il n'est pas le père de Charlie, mais il se comporte comme un substitut paternel de l'adolescent : il l'aide et l'éduque à sa façon.

Une image traditionnelle des mères

Les mères sont plus effacées, et sont parfois réduites à n'être que de simples silhouettes. Toujours promptes à s'inquiéter de ce que font ou ne font pas leurs enfants, elles sont dépeintes comme de bonnes mères de famille au foyer. Aucune d'elles n'exerce d'activité professionnelle ; toutes sont vouées aux tâches ménagères (nettoyage, cuisine, lessive…). Douées d'un grand bon sens, elles veillent à l'équilibre et à l'harmonie de la vie familiale, à l'exemple de Cora, réservée sur les initiatives de son mari *(Ils avaient la peau brune…)* ou de Man, qui dirige son petit monde *(Le Dernier Cirque)*.

Les adolescents, entre jeux et mal-être

Les enfants se divisent en deux catégories : ceux qui sont sans histoire et ne songent qu'à s'amuser *(Ils avaient la peau brune… ; Le Cadeau)* ; et ceux qui, parce qu'ils n'ont pas d'histoire, cherchent à échapper à l'ennui. Ce sont ces derniers qui sont les plus intéressants. Charlie est un adolescent désœuvré, que l'école ne passionne pas, mais qui est intelligent. Débrouillard, possédant un sens aigu de la repartie, il est le complice idéal du colonel. Leur supercherie lui fait découvrir les pouvoirs de l'illusion et des mots et elle lui révèle, du même coup, sa vocation d'écrivain. Doug et son ami Langue Rouge sont plus nostalgiques. Avec le départ du cirque disparaît l'émerveillement. On comprend que le retour à la monotonie et à la banalité du quotidien les accable.

Genre, action, personnages

Eckels coupable et victime

Eckels est le personnage central de *Un coup de tonnerre* : sans lui, pas d'intrigue, ni de tragédie. Fier de chasser le dinosaure, il perd de son assurance quand il se retrouve face au monstre. Même si elle peut se comprendre, sa peur le paralyse et le rend lâche. Tremblant de tout son être, incapable de tirer, contrairement aux autres membres de l'équipe, enfreignant toutes les consignes, il descend de la « Passerelle », marche dans la jungle et modifie le milieu naturel : dans la boue, il écrase un papillon sous les semelles de ses bottes. Les conséquences de ce fait insignifiant sont immenses et se font encore sentir des millions d'années plus tard. En modifiant le passé, Eckels a bouleversé tout ce qui devait en découler. À passé différent, futur, qui en découle, différent. Par une ironie tragique, Eckels qui souhaitait la défaite de Deutcher aux élections présidentielles provoque sa victoire. Il en est le seul responsable. Il en est aussi la première victime : Travis, le guide, l'abat d'un coup de fusil. « Le plus terrible monstre de l'histoire » n'est pas en définitive le *Tyrannosaurus rex*, mais bien Eckels lui-même !

Thèmes et textes

De différentes façons, plus ou moins sérieuses, de voyager dans l'espace

Les romanciers n'ont pas attendu qu'existent les fusées pour relater des voyages interplanétaires. Mais à bord de quelle sorte de vaisseau spatial ? Voici quelques exemples de voyage, tous plus surprenants les uns que les autres.

Documents

❶ Extraits de *Voyage dans la lune* de Cyrano de Bergerac (édition posthume, 1657)

❷ Extrait de *Micromégas* de Voltaire (1752)

❸ et ❹ Extraits de *De la Terre à la Lune* de Jules Verne (1865)

Pour approfondir

[Savinien de Cyrano de Bergerac (1619-1655) est l'un des premiers à avoir écrit des romans d'anticipation. Pour renforcer l'impression qu'il s'agit de véritables voyages dans l'espace, il fait parler son explorateur à la première personne.

Dans cet extrait, le narrateur a formé le « dessein de monter à la Lune », évidemment sans scaphandre, presque sans rien. Voici un récit de vol spatial volontairement comique.]

❶ J'avais fait une machine que je m'imaginais capable de m'élever autant que je voudrais en sorte que rien de tout ce que j'y croyais nécessaire n'y manquant, je m'assis dedans et me précipitai en l'air du haut d'une roche. Mais parce que je n'avais pas bien pris mes mesures, je culbutai[1] rudement dans la vallée.

Tout froissé[2] néanmoins que j'étais, je m'en retournai dans ma chambre sans perdre courage, et je pris de la moelle de bœuf, dont je m'oignis[3] tout le corps, car j'étais meurtri depuis la tête jusqu'aux pieds.

Cyrano de Bergerac, *Voyage dans la Lune*.

---

1. **Je culbutai :** je dégringolai.
2. **Tout froissé :** tout contusionné.
3. **Dont je m'oignis :** dont je m'enduisis.

Thèmes et textes

[Le narrateur effectue quelque temps après une seconde tentative. C'est la bonne !]

❷ Me voilà enlevé dans la nue[1].

L'horreur dont je fus consterné ne renversa point tellement les facultés de mon âme, que je ne me sois souvenu[2] depuis de tout ce qui m'arriva en cet instant. Car dès que la flamme eut dévoré un rang de fusées[3], qu'on avait disposées six à six, par le moyen d'une amorce qui bordait chaque demi-douzaine, un autre étage s'embrasait, puis un autre ; en sorte que le salpêtre[4] prenant feu, éloignait le péril en le croissant[5]. La matière toutefois étant usée fit que l'artifice manqua ; et lorsque je ne songeais plus qu'à laisser ma tête sur celle de quelques montagnes, je sentis (sans que je remuasse aucunement) mon élévation continuer, et ma machine prenant congé de moi, je la vis retomber vers la terre.

Cette aventure extraordinaire me gonfla le cœur d'une joie si peu commune, que, ravi de me voir délivré d'un danger assuré, j'eus l'imprudence de philosopher là-dessus. Comme donc je cherchais des yeux et de la pensée ce qui en pouvait être la cause, j'aperçus ma chair boursouflée, et grasse encore de la moelle dont je m'étais enduit pour les meurtrissures de mon trébuchement ; je connus qu'étant alors en décours[6], et la lune pendant ce quartier ayant accoutumé de sucer la moelle des animaux, elle buvait celle dont je m'étais enduit avec d'autant plus de force que son globe était plus proche de moi, et que l'interposition des nuées[7] n'en affaiblissait point la vigueur.

Cyrano de Bergerac, *Voyage dans la Lune*.

---

1. **Dans la nue :** dans les nuages.

2. **Que je ne me sois souvenu :** au point de ne pas me souvenir.

3. **Fusées :** tubes de feux d'artifice.

4. **Le salpêtre :** du nitrate de potassium entrant autrefois dans la composition de la poudre de guerre.

5. **En le croissant :** en l'augmentant (à mesure que les étages brûlaient et se détachaient les uns après les autres).

6. **En décours :** pendant la période de décroissance de la Lune (qui, de « pleine », passe à un quartier).

7. **Nuées :** nuages.

Thèmes et textes

[Voltaire (1694-1778) a écrit de nombreux contes philosophiques. C'est, pour lui, l'occasion, d'aborder de manière plaisante des sujets sérieux. S'inspirant de la tradition des voyages extraordinaires, *Micromégas* donne ainsi une belle leçon de relativité.

Habitant la planète Sirius, Micromégas (c'est-à-dire « Petit-Grand ») décide de voyager pour s'instruire. En compagnie d'un philosophe, rencontré sur la planète Saturne, il fonce vers la Terre. Rien de plus simple : il suffit de prendre place sur une étoile filante ou un autre météore !]

❸ Nos deux curieux partirent ; ils sautèrent d'abord sur l'anneau[1], qu'ils trouvèrent assez plat, comme l'a fort bien deviné un illustre habitant de notre globe[2] ; de là ils allèrent de lune en lune. Une comète passait tout auprès de la dernière ; ils s'élancèrent sur elle avec leurs domestiques et leurs instruments. Quand ils eurent fait environ cent cinquante millions de lieues[3], ils rencontrèrent les satellites de Jupiter. Ils passèrent dans Jupiter même et y restèrent une année [...] En sortant de Jupiter, ils traversèrent un espace d'environ cent millions de lieues, et ils côtoyèrent la planète Mars, qui, comme on sait, est cinq fois plus petite que notre petit globe ; ils virent deux lunes qui servent à cette planète [...]. Enfin ils aperçurent une petite lueur : c'était la Terre. Ils passèrent sur la queue d'une comète, et, trouvant une aurore boréale[4] toute prête, ils se mirent dedans, et arrivèrent à terre sur le bord septentrional[5] de la mer Baltique...

Voltaire, *Micromégas*, chapitre III.

Pour approfondir

---

1. **L'anneau :** l'anneau de Saturne (qui en compte en fait plusieurs).
2. **Notre globe :** la Terre.
3. **Lieues :** une lieue équivaut à environ quatre kilomètres.
4. **Aurore boréale :** arc lumineux apparaissant dans les régions polaires.
5. **Septentrional :** situé au nord.

Thèmes et textes

[Jules Verne (1828-1905) est l'initiateur en France du roman d'anticipation scientifique. Ses œuvres - comme *Vingt mille lieues sous les mers* (1870) ou *Le Tour du monde en quatre vingts jours* (1873) - ont souvent été adaptées à l'écran.

L'anticipation de Jules Verne se veut « réaliste ». Un « wagon-projectile » est fabriqué pour envoyer trois hommes sur la Lune.]

❹ Le projectile mesurait neuf pieds[1] de large extérieurement sur douze pieds de haut. Afin de ne pas dépasser le poids assigné, on avait un peu diminué l'épaisseur de ses parois et renforcé sa partie inférieure, qui devait supporter toute la violence des gaz développés par la déflagration du pyroxyle[2]. Il en est ainsi, d'ailleurs, dans les bombes et les obus cylindro-coniques, dont le culot[3] est toujours plus épais. On pénétrait dans cette tour de métal par une étroite ouverture ménagée sur les parois du cône, et semblable à ces « trous d'homme »[4] des chaudières à vapeur. Elle se fermait hermétiquement au moyen d'une plaque d'aluminium, retenue à l'intérieur par de puissantes vis de pression. Les voyageurs pourraient donc sortir à volonté de leur prison mobile, dès qu'ils auraient atteint l'astre des nuits[5]. Mais il ne suffisait pas d'aller, il fallait voir en route. Rien ne fut plus facile. En effet, sous le capitonnage[6] se trouvaient quatre hublots de verre lenticulaire[7] d'une forte épaisseur, deux percés dans la paroi circulaire du projectile ; un troisième à sa partie inférieure et un quatrième dans son chapeau conique. Les voyageurs seraient donc à même d'observer pendant leur parcours la Terre qu'ils abandonnaient [...].

[Le grand jour arrive enfin. « Feu ! » Le « wagon-projectile » s'élève.]

Jules Verne, *De la Terre à la Lune*, chapitre XXVI.

---

1. **Neufs pieds :** trois mètres environ (un pied mesurant 0,324 m).
2. **Pyroxyle :** nom d'un explosif formé de nitrocellulose.
3. **Le culot :** le fond métallique.
4. **« Trous d'homme » :** le trou d'homme est l'étroite ouverture par laquelle un ouvrier se glisse pour assurer la maintenance de la chaudière, quand elle est à l'arrêt.
5. **L'astre des nuits :** la Lune.
6. **Le capitonnage :** le rembourrage (protecteur).
7. **Lenticulaire :** qui a la forme d'une lentille.

Pour approfondir

La rencontre d'extraterrestres

D'autres planètes que la Terre sont-elles habitées ? Et si elles le sont, à quoi ressemblent leurs habitants ? Sont-ils différents de nous, physiquement, intellectuellement ? Popularisée par le cinéma, la rencontre d'extraterrestres est un thème majeur de la littérature d'anticipation. En voici trois exemples.

Documents

❶ Extrait des *États et Empires du Soleil* de Cyrano de Bergerac (publication posthume, 1662)

❷ Extrait de *La Guerre des mondes* de Herbert George Wells (1900)

❸ et ❹ Extraits des *Voyages de Gulliver* de Jonathan Swift (1726)

[Comme il avait pu arriver sur la Lune, le narrateur, dans un autre de ses voyages, met le pied sur l'astre du Soleil ! Celui-ci est bien évidemment habité, mais d'une très curieuse façon ! Le narrateur découvre un « grand arbre » tout en or, dont les feuilles sont des émeraudes et les fleurs des diamants. Voici que son regard est attiré par une « pomme », une pomme qui a le pouvoir de se métamorphoser en homme !]

❶ Comme j'occupais toute ma pensée à contempler entre les autres fruits une pomme de Grenade[1] extraordinairement belle, dont la chair était un essaim de plusieurs gros rubis en masse[2], j'aperçus remuer cette petite couronne[3] qui lui tenait lieu de tête, laquelle s'allongea autant qu'il le fallait pour former un cou. Je vis ensuite bouillonner au-dessus je ne sais quoi de blanc, qui, à force de s'épaissir, de croître, d'avancer et de reculer la matière en certains endroits, parut enfin le visage d'un petit buste de chair.

Ce petit buste se terminait en rond vers la ceinture, c'est-à-dire qu'il

---

1. **Pomme de Grenade :** appelée plus simplement « grenade » ; fruit du grenadier, très rouge et de la grosseur environ d'une orange.

2. **Gros rubis en masse :** gros rubis formant un bloc compact.

3. **Couronne :** il s'agit de la partie supérieure du fruit qui, étant moins épaisse, semble faire une « couronne ».

Pour approfondir

gardait encore par en bas sa figure de pomme. Il s'étendit pourtant peu à peu, et sa queue s'étant convertie en deux jambes, chacune de ses jambes se partagea en cinq orteils. Humanisée que fut la grenade[1], elle se détacha de sa tige, et, d'une légère culbute, tomba justement à mes pieds. Certes, je l'avoue, quand j'aperçus marcher fièrement devant moi cette pomme raisonnable, ce petit bout de nain, pas plus grand que le pouce, et cependant assez fort pour se créer lui-même, je demeurai saisi de vénération.

Cyrano de Bergerac, *Les États et Empires du Soleil.*

[H.G. Wells (1866-1946) est un journaliste et romancier anglais, qui devint très vite l'un des maîtres de la littérature d'anticipation. *La Machine à explorer le temps* (1895) et *La Guerre des mondes* (1898), ses deux romans les plus célèbres, ont fait l'objet de nombreuses adaptations cinématographiques.

Venus à bord d'un engin qui a la forme d'un cylindre, des Martiens débarquent sur la Terre. Curieuse, la foule se précipite. Le couvercle du cylindre se soulève.]

❷ Une grosse masse grisâtre et ronde, de la grosseur à peu près d'un ours, s'élevait lentement et péniblement hors du cylindre. Au moment où elle parut en pleine lumière, elle eut des reflets de cuir mouillé. Deux grands yeux sombres me regardaient fixement. L'ensemble de la masse était rond et possédait pour ainsi dire une face : il y avait sous les yeux une bouche, dont les bords sans lèvres tremblotaient, s'agitaient et laissaient échapper une sorte de salive. Le corps palpitait et haletait convulsivement. Un appendice tentaculaire[2] long et mou agrippa le bord du cylindre et un autre se balança dans l'air.

Ceux qui n'ont jamais vu de Martiens vivants peuvent difficilement s'imaginer l'horreur étrange de leur aspect, leur bouche singulière en forme de V et la lèvre supérieure pointue, le manque de front, l'absence

---

1. **Humanisée que fut la grenade :** quand la grenade fut à ce point humanisée.
2. **Un appendice tentaculaire :** un prolongement semblable à une tentacule, à une sorte de bras long et mou.

de menton au-dessous de la lèvre inférieure en coin, le remuement incessant de cette bouche, le groupe gorgonesque[1] des tentacules, la respiration tumultueuse[2] des poumons dans une atmosphère différente, leurs mouvements lourds et pénibles, à cause de l'énergie plus grande de la pesanteur sur la terre et par-dessus tout l'extraordinaire intensité de leurs yeux énormes – tout cela me produisit un effet qui tenait de la nausée. Il y avait quelque chose de fougueux dans la peau brune, huileuse, quelque chose d'inexprimablement terrible dans la maladroite assurance de leurs lents mouvements. Même à cette première rencontre, je fus saisi de dégoût et d'épouvante.

Herbert George Wells, *La Guerre des mondes*, chapitre IV.
Traduction de Henry D. Davray, Mercure de France, 2005.

Pour approfondir

[Jonathan Swift (1667-1745) est un poète et romancier irlandais de langue anglaise. Ses *Voyages de Gulliver* sont aujourd'hui mondialement connus. L'ironie y est fréquente comme dans ses autres œuvres.

Si, par exemple, des Terriens qui ne ressemblent pas à l'idée qu'on s'en fait traditionnellement peuplaient notre planète ? Ce ne sont pas des extraterrestres au sens strict du terme, mais ils sont tellement différents des hommes ordinaires qu'ils pourraient presque passer pour des extraterrestres ! D'esprit aventureux, Lemuel Gulliver navigue sur toutes les mers du globe. Une tempête le jette sur les rives de l'empire de Lilliput, dont les habitants – des « Lilliputiens » – sont tout petits. Tout petits, mais prudents face à Gulliver qui est, pour eux, un géant ! Aussi l'ont-ils solidement attaché durant son sommeil.]

❸ J'entendis un bruit confus autour de moi, mais, dans la posture où j'étais, je ne pouvais rien voir que le soleil. Bientôt je sentis remuer quelque chose sur ma jambe gauche, et cette chose, avançant doucement sur ma poitrine, monter presque jusqu'à mon menton. Quel fut mon étonnement lorsque j'aperçus une petite figure de créature

---

1. **Gorgonesque :** ressemblant à une Gorgone. Dans la mythologie gréco-romaine, la Gorgone était un monstre à la chevelure de serpents.
2. **Tumultueuse :** bruyante et saccadée.

Thèmes et textes

humaine haute tout au plus de trois pouces[1], un arc et une flèche à la main, avec un carquois[2] sur le dos ! J'en vis en même temps au moins quarante autres de la même espèce. Je me mis soudain à jeter des cris si horribles, que tous ces petits animaux se retirèrent transis de peur ; et il y en eut même quelques-uns, comme je l'ai appris ensuite, qui furent dangereusement blessés par les chutes précipitées qu'ils firent en sautant de dessus mon corps à terre.

Jonathan Swift, Voyages de Gulliver, « Voyage à Lilliput ».

[Dans un autre de ses voyages et lors d'un autre naufrage, Gulliver se retrouve face à un géant. Après avoir affronté l'infiniment petit, le voici face à l'infiniment grand !]

❹ Il me considéra quelque temps avec la circonspection d'un homme qui tâche d'attraper un petit animal dangereux d'une manière qu'il n'en soit ni égratigné ni mordu, comme j'avais fait moi-même quelquefois à l'égard d'une belette[3], en Angleterre. Enfin, il eut la hardiesse de me prendre par les deux cuisses et de me lever à une toise et demie[4] de ses yeux, afin d'observer ma figure plus exactement. Je devinai son intention, et je résolus de ne faire aucune résistance, tandis qu'il me tenait en l'air à plus de soixante pieds[5] de la terre, quoiqu'il me serrât très cruellement, par la crainte qu'il avait que je ne glissasse d'entre ses doigts.

Jonathan Swift, Voyages de Gulliver, « Voyage à Lilliput ».

Pour approfondir

---

1. **Trois pouces :** soit environ 7,5 cm (un pouce valant 2,54 cm).
2. **Un carquois :** un étui à flèches.
3. **Une belette :** un petit mammifère carnassier, bas sur pattes.
4. **Une toise et demie :** la toise est une ancienne unité de longueur qui vaut 6 pieds, soit environ 1,80 m (voir note suivante). Une toise et demi correspond donc environ à 2,70 m.
5. **Soixante pieds :** environ 18 mètres (un « pied » équivalant à 30,48 cm).

Thèmes et textes

Aller « ailleurs » pour quoi faire ?

À quoi bon découvrir de nouveaux horizons ? Quel intérêt y a-t-il, pour un auteur, à imaginer de telles fictions, et, pour nous, à les lire ? L'« ailleurs », qu'il soit ou non situé sur une autre planète, est source d'interrogation, d'émerveillement ou de crainte. Il est, par définition, l'inconnu. Est-il préférable au monde que nous connaissons ? Est-il pire que celui-ci ? Même si elles surgissent dans un contexte romanesque, ces questions touchent autant à la science qu'à la philosophie. Voici quelques éléments de réponse.

Documents

❶ Extrait de *L'Utopie* de Thomas More (1516)

❷ Extrait de *Autour de la Lune* de Jules Verne (1866)

❸ Extrait de *La Machine à explorer le temps* de H.G. Wells (1899)

[Brillant homme politique anglais, Thomas More (1478-1535) fut exécuté sur ordre du roi Henri VIII. Ami des plus grands humanistes de son temps, il est surtout connu comme l'auteur de *L'Utopie*, qui eut un énorme succès en Europe.

« Utopia » est le nom de l'Île de Nulle-Part, dans laquelle l'auteur place un monde parfait. De là vient que le mot « utopie » désigne aujourd'hui un idéal, mais inaccessible, un rêve merveilleux, mais un rêve. C'est en effet la première fonction de l' « ailleurs » que d'être un autre monde, donc d'être notre monde en mieux. Il en corrige les imperfections sociales et politiques. Voici comment, dans ce pays imaginaire, les habitants méprisent l'or et les richesses.]

❶ Les Utopiens s'étonnent que des êtres raisonnables puissent se délecter de la lumière incertaine et douteuse d'une perle ou d'une pierre, tandis que ces êtres peuvent jeter les yeux sur les astres et le soleil. Ils regardent comme fou celui qui se croit plus noble et plus estimable, parce qu'il est couvert d'une laine plus fine, laine coupée sur le dos d'un mouton, et que cet animal a portée le premier. Ils s'étonnent que l'or, inutile de sa nature, ait acquis une valeur factice tellement considérable, qu'il soit beaucoup plus estimé que l'homme ; quoique l'homme seul lui ait donné cette valeur, et le fasse servir à ses usages, suivant son caprice.

Ils s'étonnent aussi qu'un riche, à intelligence de plomb, stupide comme la bûche, également sot et immoral, tienne sous sa dépendance une foule d'hommes sages et vertueux, parce que la fortune lui a abandonné quelques piles d'écus. Cependant, disent-ils, la fortune peut le trahir ; et la loi (qui aussi bien que la fortune précipite souvent du faîte dans la boue) peut lui arracher son argent et le faire passer aux mains du plus ignoble fripon de ses valets. Alors, ce même riche se trouvera très heureux de passer lui aussi, en compagnie de son argent et comme par-dessus le marché, au service de son ancien valet.

Il est une autre folie que les Utopiens détestent encore plus, et qu'ils conçoivent à peine ; c'est la folie de ceux qui rendent des honneurs presque divins à un homme parce qu'il est riche, sans être néanmoins ni ses débiteurs ni ses obligés. Les insensés savent bien pourtant quelle est la sordide avarice de ces Crésus égoïstes ; ils savent bien qu'ils n'auront jamais un sou de tous leurs trésors.

Thomas More, L'Utopie.

[Après avoir imaginé un voyage de la Terre à la Lune, Jules Verne imagine, dans un autre ouvrage, que ses personnages tournent autour de la Lune. Un incident les empêche toutefois de se poser sur celle-ci. Ils en sont donc réduits à se poser des questions et à admirer le cosmos. C'est une autre fonction de l'« ailleurs » : s'interroger et admirer.]

❷ « Et cependant, si l'atmosphère s'était réfugiée sur cette face[1] ? Si, avec l'air, l'eau a donné la vie à ces continents régénérés[2] ? Si la végétation y persiste encore ? Si les animaux peuplent ces continents et ces mers ? Si l'homme, dans ces conditions d'habitabilité, y vit tou-

---

1. **Sur cette face :** sur cette partie de la Lune qui n'est pas éclairée par le Soleil et que les voyageurs de l'espace ne peuvent donc voir.
2. **À ces continents régénérés :** aux plaines et montagnes précédemment aperçus sur la face visible de la Lune et qui semblaient s'être reconstitués.

jours ? Que de questions il eût été[1] intéressant de résoudre ! Que de solutions on eût tirées de la contemplation de cet hémisphère ! Quel ravissement de jeter un regard sur ce monde que l'œil humain n'a jamais entrevu ! On conçoit donc le déplaisir éprouvé par les voyageurs, au milieu de cette nuit noire. Toute observation du disque lunaire était interdite. Seules les constellations sollicitaient leurs regards. [...]. Rien ne pouvait égaler la splendeur de ce monde sidéral[2] baigné dans le limpide éther[3]. Ces diamants incrustés dans la voûte céleste jetaient des feux superbes. [...]. L'imagination se perdait dans cet infini sublime, au milieu duquel gravitait le projectile[4], comme un nouvel astre créé de la main des hommes. »

Jules Verne, *Autour de la Lune*, chapitre XVI.

[L'« Ailleurs » réserve assurément des surprises. Mais ces surprises sont-elles toujours agréables ? Le narrateur-inventeur d'une « machine à explorer le temps » fait la triste expérience du contraire. Propulsé dans un avenir fort lointain, le voici déçu. Les hommes du futur se révèlent moins parfaits, moins intelligents que ce qu'il imaginait. Et si le progrès n'était pas continu ?]

❸ Je leur indiquai du doigt la machine, puis moi-même ; ensuite, me demandant un instant comment j'exprimerais l'idée de Temps, je montrai du doigt le soleil. Aussitôt un gracieux et joli petit être, vêtu d'une étoffe bigarrée[5] de pourpre[6] et de blanc, suivit mon geste, et à mon grand étonnement imita le bruit du tonnerre.

Un instant je fus stupéfait, encore que la signification de son geste m'apparût suffisamment claire. Une question s'était posée subitement à moi : Est-ce que ces êtres étaient fous ? Vous pouvez difficilement vous figurer comment cette idée me vint. Vous savez que j'ai toujours cru

---

1. **Il eût été :** il aurait été.
2. **Monde sidéral :** le cosmos.
3. **Éther :** ciel.
4. **Le projectile :** le vaisseau spatial a une forme d'obus.
5. **Bigarrée :** bariolée.
6. **De pourpre :** de rouge foncé, tirant un peu sur le violet.

Thèmes et textes

que les gens qui vivront en l'année 802000 et quelques nous auraient surpassés d'une façon incroyable, en science, en art et en toute chose. Et voilà que l'un d'eux me posait une question qui le plaçait au niveau intellectuel d'un enfant de cind ans – l'un d'eux qui me demandait en fait si j'étais venu du soleil avec l'orage ! Cela gâta[1] l'opinion que je m'étais faite d'eux d'après leurs vêtements, leurs membres frêles et légers et leurs traits fragiles. Je fus fortement déçu. Pendant un moment, je crus que j'avais inutilement inventé la Machine du Temps.

**Herbert George Wells, *La Machine à explorer le temps*, chapitre IV.
Traduction de Henry D. Davray, Mercure de France, 2005.**

Pour approfondir

---

1. **Gâta :** altéra, dévalua la bonne opinion.

Bibliographie et filmographie

Sur la vie et l'œuvre de Ray Bradbury

Les études facilement accessibles et rédigées en français manquant le plus souvent, on se reportera au site **larousse.fr** et aux sites suivants :

http://www.raybradbury.com/ (site officiel)

http://www.bdfi.net:auteurs/b/bradbury_ray.php

Sur le genre de la science-fiction

La Science-fiction, Jacques Baudou, P.U.F., « Que sais-je ? », 1985.
> ◗ Un historique, une définition et une présentation du genre.

La Science-fiction, Roger Bozzetto, Armand Colin, 2007.
> ◗ Un panorama du genre.

Science-fiction, une littérature du réel, André-François Ruaud et Raphaël Colson, Klincksieck, 2006.
> ◗ Étude fouillée sur, comme son titre l'indique, les rapports entre réel et « anticipation ».

Les traductions françaises

La collection « Lunes d'encre » des éditions Denoël a publié les traductions des principaux romans de Bradbury, à savoir :

Fahrenheit 451, Chroniques martiennes, Les Pommes d'or du soleil, 2007.

Trois Automnes fantastiques : L'Homme illustré, Le Pays d'octobre, La Foire des ténèbres, 2002.

Quelques œuvres de Ray Bradbury adaptées à l'écran

Fahrenheit 451, film de François Truffaut, 1966.

L'Homme tatoué, film de Jack Smight, 1969.

Chroniques martiennes, série TV de Michael Anderson, 1980.

La Foire des ténèbres, film de Jack Clayton, 1983.

Un coup de tonnerre, film de Peter Hyams, 2005.

Impression : Rotolito Lombarda (Italie)
Dépôt légal : Septembre 2010 - 304425
N° Projet : 11010629 - Septembre 2010